TO SHIT IN THE BLUE CUPBOARD AND 1000+ OTHER SWEDISH IDIOMS

Joakim Andersson

NORTH TONE MEDIA

First published 2023
First edition, second print 2024

Paperback ISBN 978-91-987189-8-0
ePub ISBN 978-91-987189-9-7
PDF ISBN 978-91-89788-09-1

First edition, second print

www.sayitinswedish.com
www.northtonemedia.com
North Tone Media Handelsbolag, Sweden
Author: Joakim Andersson

Foreword

This should in no way be seen as a complete work and documentation of the idioms found in the Swedish language. My focus during these few months have been to gather old and new expressions that a learner of Swedish is most likely to encounter and should know, even though I have snuck in a few archaic idioms as well. This should foremost be seen as a guide where one, when stumbling upon a sentence that makes little sense (and thus might take it for an idiom), has the possibility to single out one word from the expression and look it up in this book. With help from the cross-referencing system, the learner is then guided to the correct dictionary entry.

Idioms are one of the most fun aspects of learning the language. They can tell us how native speakers see the world and they can tell us their history. They are also one of the most important things to grasp when wanting to speak the language on a high level.

The idea to create this type of dictionary came to me from the German publishing house for linguistic works – Duden – and their Redewendungwörterbuch, which I've found immensely helpful in my role as a student of German. Even though this first edition of my own Swedish equivalent only contains 10% of the treasure that Duden possesses, I hope that it will be of great use for the learner of the Swedish language and that it will be skimmed through countless times.

Sincerely yours,
Joakim

How to Use This Book

This book contains expressions, some of the most common proverbs, set phrases, comparisons, word pairs and even particle verbs where the meaning can be difficult to deduce. In certain cases (especially when it comes to comparisons like **stark som en oxe** (strong like an ox)), the meaning is evident but has been included in the book for the skimmers looking to learn something new.

The idioms in this book are filed under keywords. It is not always clear which word will bear the most meaning and emphasis in a phrase and thus the book provides a cross-referencing system, guiding the student to the appropriate keyword.

The keywords are roughly ranked as such: nouns, verbs, adjectives, adverbs. Thus if the idioms contain one or more nouns but also verbs, they will most likely be organized under one of the nouns. Sometimes I have, however, felt that a word outside this ranking carries more weight and have thus organized the idiom under that word instead. Here is where we take advantage of the cross-referencing system.

The idioms are organized alphabetically, however ranked by the different forms of a word. This means that idioms with the indefinite singular form of the keyword (if it is a noun) will come first, then any forms deriving from that form, then the definite form, forms deriving from that, and so on. A similar approach has been taken for verbs (with the infinitive first, then the present tense etc.). How they are organized is not of too much importance, since a keyword in this book won't be connected to endless idioms.

I have included a literal translation for all the idioms in this book, but have also taken the liberty to, as far as it is possible, tweak them to fit an English idiom pattern.

Furthermore, some idioms might have an English equivalent. Those are preceded by a general definition.

Idioms are presented as follows:

KEYWORD

idiom (literal translation) – (abbr.)

definition; English idiom: *Swedish example sentence.*

Abbreviations

ARCH.	archaic
COLL.	colloquial
DTD.	dated
FIG.	figuratively
FML.	formal
NEG.	negative
NTH.	nothing
REG.	regional
SB.	somebody
STH.	something

A

A och O (A and O) – the most important thing; the Alpha and Omega: *Ärlighet är A och O.*

AGN

skilja agnarna från vetet (to separate the chaff from the wheat) – (fig.) to pick out the best; to separate the wheat from the chaff: *I talangprogram på tv skils agnarna från vetet med hjälp av publiken.*

> The expression originates from the Bible (Matt. 3:12).

ALIKA

full som en alika (drunk like a jackdaw) – (coll.) very drunk: *Vännerna, som var fulla som alikor, vaknade upp i Las Vegas utan något som helst minne av natten.*

> *Alika* is a less common word for a *jackdaw*, which is normally called *kaja* in Swedish. Other expressions with jackdaws are the related idiom *full som en kaja* (see **kaja** →) and the word *fyllkaja*.

ALLA

en gång för alla: gång →

ALLAN

spela Allan (to play Allan) – (coll.) to act superior: *Vi lever i ett individualistiskt samhälle där alla spelar Allan.*

> *Allan* refers to the American actor Alan Ladd, famous for his depictions of gangsters and tough heroes.

ALLT

allt eftersom (everything because) – gradually; as: *Allt eftersom tiden gick blev de äldre.*

> Also used as one word, *allteftersom*, which makes it out of the scope of this book. However, if seen as two words, it could become very confusing to learners. Better safe than sorry (see **ta det säkra för/före det osäkra:** säker →).

när allt kommer omkring (when everything comes around) – in the end; at the end of the day; when it comes down to it: *När allt kommer omkring är vi bara människor.*

ALLENA

mol allena (completely alone) – all alone: *Hon satt mol allena vid altaret.*

> *Mol* is only used in a few expressions and compounds and *allena* is archaic for *alone* (compare German *allein,* Danish or

Norwegian *alene*).

AMEN

säkert som amen i kyrkan (sure as amens in church) – very certain and predictable: *Att det finns en morgondag är så säkert som amen i kyrkan.*

AMOK

löpa amok (to run amok) – to behave in a wild uncontrolled manner; to run amok: *Fansen vid scenutgången löpte amok när de fick veta att bandet redan hade åkt till flygplatsen.*

ANA

det ante mig (it sensed me) – I thought so; I had a feeling; I knew it: *Så han kom inte till jobbet alls i dag? Det ante mig!*

ANDA

ge upp andan (to give up one's breath) – to die; to stop working: *Hennes gamla telefon hade gett upp andan dagen innan så nu skulle hon köpa sin första smartphone.*

när andan faller på (when the spirit falls) – when one feels like it/inspired: *Jag brukar äta smörgåstårta när andan faller på.*

ANDE

anden är villig men köttet är svagt (the spirit is willing but the flesh is weak) – to want to do something but not have the energy to do so; the spirit is willing but the flesh is weak: *Företag och kommuner måste samarbeta för att göra Östersjön ren men trots att anden är villig är köttet svagt.*

💡 The Bible tells the story about Jesus and his disciples in the garden of Gethsemane. Jesus uses this expression with Peter in Matt. 26:41.

som en osalig ande (like an unblessed spirit) – aimlessly (about movement): *Efter att han blivit dumpad av sin flickvän gick han omkring på Stockholms gator som en osalig ande.*

ANDRA

i andra hand (in second hand) – indirectly (mainly used in the context of subrenting): *Bostadsbristen gör att man får nöja sig med att hyra i andra hand.*

ANKAR

ligga för ankar (to lie at anchor) – to remain anchored; to lie at anchor: *Kryssningsfartyget låg för ankar i Västindien.*

lätta ankar (to ease anchor) – to raise the anchor; to weigh anchor: *Sedan lättade det ankar och fortsatte resan tillbaka till Florida.*

ANNAT

ett och annat (one thing and another) – a thing or two: *Den karlen vet ett och annat om vedklyvning.*

ANNARS

annars då? (what else then?) – a question to break an uncomfortable silence as a conversation dies out: *Annars då? Bilen går bra?*

ANSIKTE

ge något ett ansikte (to give sth. a face) – to embody sth.; to be the face of sth.: *De nyanlända barnen ger krigets offer ett ansikte.*

bli lång i ansiktet (to become long in the face) – to become baffled; to become disappointed; to pull a long face: *När hon såg sitt betyg blev hon lång i ansiktet.*

APA

alla känner apan [men apan känner ingen] (everyone knows the monkey [but the monkey knows nobody]) – said to describe a situation where a person is well-know (sometimes even disliked) but does not know the people in turn: *Tydligen stöter mina kollegor då och då på folk som gått i min skola och känner till mig trots att jag inte har en aning om vem de är. Alla känner apan, som man brukar säga.*

APRIL

april, april [din dumma sill] [jag kan lura dig vart jag vill] (April, April [you stupid herring] [I can fool you wherever I want]) – said to someone getting fooled on April Fools' Day: *April, april, din dumma sill. Jag bara skojade!*

ARG

ana argan list: list →

arg som ett bi: bi →

ARM

på rak arm (on a straight arm) – without preparation; immediately: *Han kunde inte svara på den frågan på rak arm.*

ARMBÅGA

armbåga sig fram (to elbow oneself forward) – to push one's way forward (also fig.): *De armbågade sig fram till baren för att beställa.*

ARMBÅGE

bjuda med armbågen (to treat sb. with the elbow) – to offer sth./invite sb. without really meaning it: *Det var uppenbart att de bara bjöd oss med armbågen för att vara artiga. Egentligen vill de inte ha oss där.*

ARSEL

få tummen ur [arslet]: tumme →

ARTIG

var så artig (be so polite) – (arch.) a response to a thank you; here you are;

here you go; you are welcome: *Var så artig och stig på.*

💡 This idiom is not used in contemporary Swedish. I have only ever heard my grandfather use it and thus this should be regarded as a tribute to him. Hej morfar!

ASK

ha något som i en ask (to have sth. as though in a little box) – to be sure to achieve or get sth.; to have it in the bag: *Tränaren var säker på att man hade medaljen som i en liten ask.*

AV

av och an (off and on) – back and forth: *Han vankade av och an nervöst väntade på att telefonen skulle ringa.*

💡 Often used with the verb *vanka* (to walk slowly).

AVLÅNG

vårt avlånga land (our oblong country) – Sweden: *Midsommar firas av alla i hela vårt avlånga land.*

AXEL

rycka på axlarna (to jerk one's shoulders) – to shrug: *Tågvärden förstod inte tyska så hen ryckte bara på axlarna.*

AXLA

axla någons mantel: mantel →

B

BACKE

regnet står som spön i backen: regn →

sakta i backarna (slowly in the slopes) – calm down; take it easy; hold your horses: *Men sakta i backarna nu, va? Du får vänta på din tur.*

BAGARBARN

bjuda bagarbarn på bullar (to treat baker children to buns) – to give sth. to sb. which is already in their possession: *Man kanske inte ska ge en vinodlare en flaska rödvin i födelsedagspresent. Det är som att bjuda bagarbarn på bullar.*

BAGARBOD

må som en prins i en bagarbod (to feel like a prince in a baker's shop) – to have the best time as one possibly could: *När han fick tillbringa somrarna på mormoderns bondgård mådde han som en prins i en bagarbod.*

BAK

bak och fram (back and forth) – the other way around; backwards: *Han råkade sätta på sig hjälmen bak och fram.*

eld i baken: eld →

BAKFICKA

ha något i bakfickan (to have sth. in the back pocket) – to have sth. additional ready on reserve to get an advantage; to have an ace up one's sleeve: *Hon var inte säker på att hennes CV skulle räcka för jobbet men hon hade något alldeles extra i bakfickan.*

BAKFOT

få något om bakfoten (to get sth. around the back foot) – to misunderstand sth.: *Han trodde att de var på dejt men det hade han visst fått om bakfoten.*

BAKOM

gå bakom knuten: knut →

BAKUT

slå bakut (to hit backwards) – to resist; to push back against: *Förbudet mot rökning på restauranger fick rökare att slå bakut.*

💡 Horses kick backwards when they are resisting and from this we got this idiom.

BAKLÄNGES

dra mig baklänges (pull me backwards) – expression of surprise: *Nej, dra mig baklänges! Är hon gravid igen!?*

BAL

vad är en bal på slottet (what is a

ball at the castle) – said with a sigh about sth. unattainable: *Jag skulle så gärna vilja resa utomlands men vad är en bal på slottet. Jag har helt enkelt inte råd.*

💡 This expression stems from the Swedish 1967 dub of Disney's *Cinderella*. It was probably made famous due to its appearance in the Swedish television program every Christmas eve where clips from different Disney animations are shown.

BALETT

hela baletten (the whole ballet) – everything; the whole thing; the whole shebang: *Miljardären hade en gigantisk villa med stort underjordiskt garage, bio, swimmingpool och hela baletten.*

BALSAM

som balsam för själen (like balm for the soul) – comforting and relaxing: *Barndomens gamla nöjen kan vara som balsam för själen för en vuxen.*

BANANSKAL

halka in på ett bananskal (to trip inside on a banana peel) – to concidentially end up in a situation: *Egentligen halkade han in i föreningen på ett bananskal. En dag för 20 år sedan gick han in i fel lokal men blev intresserad och stannade kvar.*

BAND

lägga band på sig (to put ties on oneself) – to restrain oneself: *Han avskydde grannarna men lade band på sig när de hade barnen med sig.*

på löpande band (on running belts) – in great quantity; on a regular basis: *Den söndagen fånga polisen fartsyndare på löpande band.*

💡 The "running belt" is of course a conveyor belt.

BANDHUND

skälla som en bandhund (to bark like a watchdog) – to let out one's anger and make a fuss: *Ingen av barnen gillade skolans rektor. Han skällde alltid som en bandhund på allt och alla.*

BARA

som/av bara den (like/of only that) – intensely: *Det regnar som bara den.*

BARN

alla är vi barn i början (we are all children in the beginning) – everything is difficult in the beginning; the first pancake is always spoiled: *Du ska inte vara ledsen över att det inte gick så bra på en gång. Alla är vi ju barn i början.*

barn av sin tid (children of their time) – expresses the influence an era has on sb. in terms of opinions and interests: *Influencers är verkligen barn av sin tid. För bara 20 år sedan kunde yrket inte ha existerat.*

bränt barn skyr elden (a burnt child shuns the fire) – one is cautious after being hurt once before; a burnt child dreads the fire; once bitten twice shy: *Hon önskade att hon hade en pojkvän men var rädd för att bli sårad igen. "Bränt barn skyr elden" som man säger.*

kärt barn har många namn (a loved child has many names) – sth. popular often gets many (nick)names: *Öl, bira, bärs och bärka – kärt barn har många namn.*

här blir inga barn gjorda (no children are being made here) – said when nth. is happening and it is time to go and do sth.: *Nej, här blir inga barn gjorda. Det kanske är dags att jobba på lite?*

lika barn leka bäst (similar children play best) – the same kind of people tend to stick together; birds of a feather stick together: *"Lika barn leka bäst" tänkte man när man skrev platskorten till banketten.*

BARNDOM

gå i barndom (to go into childhood) – to become senile: *Farmor gick i barndom på ålderns höst.*

BASTA

och därmed basta (and with that: basta) – end of discussion: *Nu ska du städa ditt rum och därmed basta.*

💡 *Basta* is Italian for *enough*.

BEKOMMA

väl bekomme (may it be well received) – (fml.) you're welcome!: *Maten är serverad. Väl bekomme!*

BEN

stå på egna ben (to stand on one's own legs) – to make it on one's own; to be able to provide for oneself in life without help; to stand on one's own feet: *Han flyttade till en by i Nepal bara för att visa för sina föräldrar att han kunde stå på egna ben.*

ha kött på benen: kött →

lägga benen på ryggen (to lay one's legs on one's back) – to quickly run away: *När vargarna hörde förskoleklassen i skogen lade de benen på ryggen.*

BERO

låta något bero (to let sth. pass) – to let sth. be and run its course: *Nu lämnar vi det här och låter det bero.*

BERÅTT

med berått mod: mod →

BERÖRD

vara/bli illa berörd (to be/become badly touched) – to be/become badly affected/hurt/very uncomfortable: *Hon blir illa berörd när hon ser djur fara illa.*

BET

gå bet (på något) (to go bete (at sth.)) – to fail (to do sth.): *Tyvärr gick vi bet på budgivningen. Någon annan bjöd högre och fick lägenheten.*

💡 The word *bet* ultimately comes from Latin *bestia* through French *bête* which is a phrase originally used in card games.

BEVÅG

på eget bevåg (on one's own accord) – at one's own initiative; to take it upon oneself to; of one's own accord: *Jag bad honom inte att lägga ett gott ord för mig. Det gjorde han helt på eget bevåg.*

BEVÄPNA

beväpnad till tänderna (armed to the teeth) – well-armed: *Insatsstyrkan var beväpnad till tänderna när de gick in i lägenheten.*

BI

arg som ett bi (angry like a bee) – very angry: *Syrran var arg som ett bi när hon upptäckte att jag lånat hennes bästa kjol.*

flitig som ett bi (diligent like a bee) – very diligent: *Assistenten visade sig vara flitig som ett bi och informationen som efterfrågats hade hen fått fram på bara en halvtimme.*

BIBEL

vara som en bibel (to be like a bible) – to contain almost all information there is about a subject (about books): *Den här nya ordboken är som en bibel över svenska uttryck.*

BIFF

klara biffen (to manage the steak) – to manage to do sth.: *Rörmokaren sa att det skulle bli komplicerat men han klarade biffen på bara en halvtimme.*

BITA

bita av någon (to bite sb. off) – (fig.) to abrubtly interrupt sb.: *Hon bet av honom och sa att hon minsann inte var hans sekreterare när han försökte säga åt henne att hämta kaffe till mötet.*

BJUDA

bjuda med armbågen: armbåge →

BJÖRN

stark som en björn (strong like a bear) – very strong: *Isländningen var visserligen stark som en björn men ändå inte lika stark som flickan med de långa strumporna.*

väcka den björn som sover (to wake a sleeping bear) – to revisit old conflicts; to unnecessarily provoke an issue; to poke the bear (mainly negated): *Ämnet är känsligt och många tänker att man inte ska väcka* *den björn som sover.*

man ska inte sälja skinnet förrän björnen är skjuten: skinn →

BJÖRNTJÄNST

göra någon en björntjänst (to do sb. a bear service) – to do sb. a disservice: *Han råkade spilla kaffe på kollegans blus och gjorde henne en björntjänst genom att gnida in kaffet i tyget i stället för att torka upp det.*

This is often misinterpreted as doing someone a huge favor. Perhaps due to the word *björnkram* which means a huge hug [the author's own train of thoughts].

BLAD

ta bladet från munnen (to take the leaf from one's mouth) – to be open and honest: *Artisten tar bladet från munnen i ny biografi.*

BLIND

även en blind höna kan finna/hitta ett korn: höna →

i blindo (in blind) – (fig.) blindly: *Många beställer saker i blindo på nätet från Kina och tvingas slänga produkterna när de väl kommer fram.*

Often used together with the verb *famla* (to fumble).

BLINKA

utan att blinka (without blinking) – without hesitation: *Hon sa ja till jobbet utan att blinka.*

BLIXT

som en blixt från klar himmel (like lightning from a clear sky) – unexpectedly; without warning: *Räkningen kom som en blixt från klar himmel.*

snabbt som blixten (fast as lightning) – very fast; suddenly: *Snabbt som blixten och snabbare än sin skugga drog han fram en revolver och sköt skurken.*

BLOD

väcka ont blod (to wake bad blood) – to stir up bad feelings; to breed bad blood: *Förändringarna i skolan väckte ont blod bland föräldrarna.*

BLOSS

ta ett bloss (to take a torch) – (coll.) to smoke: *Ska du med ut och ta ett bloss?*

BLY

tung som bly (heavy like lead) – very heavy: *Tor klagade ofta över att hammaren Mjölner var tung som bly.*

BLÅ

i det blå (in the blue) – 1. in the sky; 2. (fig.) unrealistic: *Folk tyckte att hon bara hade drömmar i det blå men hon gav sig inte.*

skita i det blå skåpet: skåp →

BLÅSA

blåsa av (to blow off) – to call off: *Pressträffen blåstes av på grund av* *bombhot.*

BLÅSLAMPA

jaga någon med blåslampa (to hunt sb. with a blowtorch) – (fig.) to put pressure on sb.: *Aspiranterna måste jagas med blåslampa. De har ingen disciplin över huvud taget!*

BLÄCKA

ta sig en bläcka (to take oneself a shot of alcohol) – (arch.) (coll.) to get drunk: *Vi tog oss en bläcka när vi kom i land.*

💡 *Bläcka* or *blecka* is an old measurement of *brännvin* (the common strong alcoholic beverage in Scandinavia in olden times). It is based on the old measurement *jungfru* (maiden) which was 0.08117813 liter. The name comes from the shape of the measuring bottle used, which resembled a woman in an ankle-length skirt.

BLÄNGSYLTA

käka blängsylta (to eat stare-brawn) – (coll.) to stare: *Vad glor du på? Har du käkat blängsylta?*

BOCK

göra bocken till trädgårdsmästare (to make the ram a gardener) – to assign a task to sb. who is unsuitable: *Att välja en skådespelare till president måste ändå vara lika dumt som att göra bocken till trädgårdsmästare.*

BOFINK

nu tar fan bofinken (now the devil is taking the chaffinch) – said when sth. is about to fail or sb. is in big trouble: *Nu tar fan bofinken tänkte han och sprang in i det brinnande huset.*

BOK

vara som en öppen bok (to be like an open book) – to not hide one's thoughts and emotions: *Vittnet var som en öppen bok och avslöjade till och med mer än polisen ville veta.*

BOLL

bollen är rund (the ball is round) – the outcome is uncertain and anything can still affect it: *Vi kan försöka programmera in en lösning på problemet men bollen är rund. Vi vet inte om det kommer hjälpa.*

💡 This is another one of many expressions in Swedish that stem from the world of sports – either from jargon or something players, coaches, or commentators have said.

This particular one is attributed to legendary soccer player Gunnar Gren.

yr i bollen: yr →

vara sist på bollen (to be last on the ball) – to be the last to be informed/to do sth.: *Hon berättade just att hon skaffat en smartphone och det visar att hon alltid är sist på bollen.*

ha många bollar i luften (to have many balls in the air) – to multitask: *Till slut hade hon för många bollar i luften och gick in i väggen.*

BOMBNEDSLAG

se ut som ett bombnedslag (to look like a bomb hit) – to be messy/untidy: *Efter festen såg hela huset ut som ett bombnedslag, men hon ångrade ingenting.*

BORD

köpa/sälja något under bordet (to buy/sell sth. under the table) – to buy/sell sth. illegally/without receipt to avoid taxes/under the table: *I tobaksaffären på hörnet kan du köpa marijuana under bordet.*

BORSTBINDARE

svära som en borstbindare (to swear like a brushmaker) – to swear a lot and vulgarly; to swear like a sailor: *Mormor vägde aldrig sina ord på guldvåg och svor ofta som en borstbindare. Men hon var den snällaste som någonsin funnits.*

BOTTEN

gasen i botten: gas →

gå till botten med något (to go to the bottom of sth.) – to find the explanation for sth.; to get to the bottom of sth.: *Det är dags att gå till botten med så kallat* fake news.

i grund och botten: grund →

BOX

tänka utanför boxen: ram →

BRA

ligga bra till (to lie well) – to be in a good position; to stand well; to be on sb.'s good side: *Jag vet att du är osäker på om provet gick bra men jag tror du ligger bra till.*

BRALLA

ha myror i byxorna/brallorna/ brallan: myra →

BREV

komma som ett brev på posten (to arrive like a letter in the mail) – to be certain and unavoidable: *Med kriget kom även sjukdomarna som ett brev på posten.*

BRINNA

brinna för något (to burn for sth.) – to have a passion for sth.: *Han brann verkligen för sitt jobb.*

brinna i knutarna: knut →

BRISTA

bära eller brista: bära →

BRO

bränna sina broar (to burn one's bridges) – to act in such a way as to pass the point of no return; to burn one's bridges; to burn one's boats:

Efter att ha skrikit på chefen och dragit ner byxorna på kontoret så hade han bränt alla sina broar.

BRÅDRASK

i brådrasket (in the hurry-quick) – immediately; soon; in the near future (mainly negated): *Många har hört av sig men vi kommer inte ändra på någonting i brådrasket.*

💡 The word *brådrask* occurs in only this expression. It's a compound of the word *bråd* (hurried/sudden) and *rask* (quickly).

BRÄDE

sätta allt på ett bräde (to wager everything on one board) – to risk everything: *Jag skulle vilja flytta ihop med min flickvän men hon bor långt bort och det kanske är dumt att sätta allt på ett bräde.*

på ett bräde (on one board) – at once; in one go: *Artisten tillbringade dagen med att ge åtta intervjuer på ett bräde.*

BRÄSCH

gå i bräschen för någon/något (to go into the breach for sb./sth.) – to advocate for sb./sth.; to take the lead; to go into the breach for sb./sth.: *Det är viktigt att elbolagen går i bräschen för mer framtidssäkra energikällor.*

💡 Like many words in Swedish, *bräsch* is a loan from French *brèche*.

BRÖD

den enes död (är) den andres bröd: död →

BU

varken bu eller bä (neither boo nor baa) – nothing: *Det är så frustrerande när man varken får göra bu eller bä utan måste sitta och vänta.*

BUKT

få bukt med/på något (to manage to bend sth.) – to mange to resolve sth.; to take the control of sth.: *Regeringen vill få bukt med gängskjutningarna.*

💡 The word *bukt* in this expression originally meant to get an advantage in a wrestling match. It is related to *böja* (to bend) and can be seen in contemporary Swedish with the meanings *bay* or *bend*.

BULLA

bulla upp (to bun up) – to bring out much food and drink: *När vi sade att vi bara skulle hämta en sak började farmor bulla upp all möjlig mat. Det blev ett riktigt gästabud.*

BULLE

ha en bulle i ugnen (to have a bun in the oven) – (coll.) to be pregnant; (fig.) to have a bun in the oven: *Hon vill inte erkänna det men man kan se att hon har en bulle i ugnen.*

andra bullar (other buns) – a quick and strict change: *Nu ska du få se på* *andra bullar.*

bjuda bagarbarn på bullar: bagarbarn →

BULLER

huller om buller: huller →

med buller och bång (with a bang and a boom) – with a bang: *Landets 500-årsdag kommer att firas med buller och bång.*

BYXA

skälla ner till byxor och tröja (to give a scolding down to pants and shirt) – (finl.) to scold: *Han skällde ner parkeringsvakten till byxor och tröja men fick ändå en bot.*

ha myror i byxorna/brallorna /brallan: myra →

med byxorna nere (with one's pants down) – (fig.) exposed; (caught) in the act; red-handed; in flagrante; with one's pants down (also fig.): *Polisen avslöjades av sina kollegor med byxorna nere när han tog emot mutor från bilister.*

BÅNG

med buller och bång: buller →

BÅT

sitta i samma båt (to sit in the same boat) – (fig.) to be in the same (unpleasant) situation as sb. else; to be in the same boat (also fig.): *Staten och kapitalet sitter i samma båt.*

BÄ

varken bu eller bä: bu →

BÄCK

man ska inte ropa hej [förrän man kommit över bäcken]: hej →

många bäckar små [gör en stor å] (many small creeks [make up a big river]) – small contributions lead to sth. bigger: *Pojken trodde aldrig att han skulle kunna spara till datorspelet men hans mamma sa "många bäckar små".*

BÄDDA

som man bäddar får man ligga (as one makes one's bed one has to lie therein) – one has to face the consequences of one's actions; as you sow, so shall you reap; you made your bed, now lie in it: *Du får skylla dig själv om han var dum mot dig. Som man bäddar får man ligga.*

BÄLTE

slag under bältet (punch under the belt) – (fig.) action that is ethically questionable: *Varför drar du in mitt utseende i diskussionen? Det är verkligen ett slag under bältet.*

BÄR

lika som bär (alike like berries) – nearly identical: *Tvillingarna var lika som bär.*

BÄRA

bära eller brista (to carry or burst) –

to succeed or fail; to stand or fall; to make or break: *Vi känner att vi måste avsluta projektet som vi påbörjat. Må det bära eller brista.*

BÄRSÄRKAGÅNG

gå bärsärkagång (to walk the walk of a berserker) – to behave in a wild uncontrolled manner; to run amok; to go berserk: *25-åring gick bärsärkagång med fyrverkerier på nyårsafton.*

C

CITRON

sur som en citron (sour like a lemon) – very bad-tempered: *Tove är sur som en citron bara för att jag inte ville beställa sushi.*

💡 The idiom makes sense in Swedish due to the fact that *sur* does not only mean *sour* but also that sb. is in a bad mood.

CYKLA

vara ute och cykla (to be outside riding one's bike) – 1. to be outside riding one's bike; 2. (fig.) to be massively in the wrong; 3. (fig.) to talk about sth. one knows nth. about: *Nej, nu är du helt ute och cyklar. Jorden är ju platt!*

D

DAG

en vacker dag (one beautiful day) – eventually; one beautiful day: *En vacker dag kommer karma att ge honom en läxa.*

på år och dag/dar: år →

vacker som en dag (beautiful like a day) – very beautiful: *Prinsessan var vacker som en dag.*

ta någon av daga (to take sb. out of day) – (fml.) to murder sb.: *Specialenheten hade en lista på de som skulle tas av daga för att få ett slut på kriget.*

den dagen, den sorgen (that day, that sorrow) – no need to ponder over a situation that has not and might never happen: *Jag vet att du är orolig men, vet du, den dagen, den sorgen. Du behöver inte alls tänka på det på flera år.*

💡 I remember dad saying this quite a lot. Hej pappa!

DAMMA

damma av något (to dust off sth.) – to start using sth. again: *Strömmen har gått så det ger oss ett ypperligt tillfälle att damma av det gamla Monopolet.*

DANS

gå som en dans (to go like a dance) – to go without any problems whatsoever; to go like clockwork: *Inspelningen av filmen gick som en dans.*

vara en dans på rosor (to be a dance on roses) – to be easy (mainly negated); to be a walk in the park: *Livet är ingen dans på rosor.*

DANSA

dansa efter någons pipa (to dance after sb.'s pipe) – to do as others like: *Man får bara ett liv och jag tänker minsann inte dansa efter någon annans pipa.*

💡 Based on a fable by the Greek poet Aesop.

DATT

ditt och datt: ditt →

ditten och datten: ditt →

DEN

som/av bara den: bara →

vara den som är den (to be the one who is the one) – to be a buzzkill and explain/contradict sth.; to be the bearer of bad news; to be that guy (mainly negated): *Jag vill inte vara den som är den men din förklaring stämmer inte.*

DETSAMMA

med detsamma (with the same) –

right away: *Jag vill ha hamburgare nu med detsamma.*

DIT

hit och dit: hit →

DITT

ditt och datt (this and that) – this and that: *Han jobbade lite med ditt och datt.*

💡 The expression comes from Low German *dit un dat* which literally means *this and that.*

ditten och datten (this and that) – this and that: *Jag har ingen lust att höra om dina problem med ditten och datten.*

DJUP

titta för djupt i glaset: glas →

DJUR

slita som ett djur (to labor like an animal) – to work very hard: *Fiskarna slet som djur för att få upp nätet i stormen.*

DRA

dra ihop sig (to contract) – to be about to begin: *Det börjar dra ihop sig för fotbolls-vm.*

dras med någon/något (to be pulled with sb./sth.) – to struggle with sth.; to be stuck with sb.: *Många dras med känslan av att vara betydelselösa.*

DRILL

slå en drill (to hit a trill) – (coll.) to urinate: *Han gick ut ur tältet och slog en drill i skogen.*

DRÄNG

min dräng hade också en dräng [och bägge var de lata] (my hireling also had a hireling [and both were lazy]) – said to sb. who is lazy and tries to delegate: *– Pappa, hämta ett glas vatten. – Min dräng hade också en dräng.*

själv är bäste dräng (the best hireling is oneself) – if one wants sth. done it is better to do it oneself: *Det är helt omöjligt att få barnen att städa efter sig men själv är bäste dräng.*

DROPPE

en droppe i havet (a drop in the sea) – an insignificant amount: *Det som vi har samlat in för att kunna göra om tågstation till ett museum är tyvärr bara en droppe i havet.*

det var droppen [som fick bägaren att rinna över] (that was the drop [which got the cup to flow over]) – that's enough; that's it; that's the last straw: *Nej nu, det var droppen! Jag tänker aldrig handla här mer.*

DUGA

som heter duga (whose name is do) – excellent: *Det här var en föreställning som heter duga.*

DUKA

duka under (to dive under) – to die; to go under: *Många hemlösa kommer att duka under den här vintern.*

💡 *Duka* means to set the table in Swedish but in this particle verb, *duka* is related to *dyka* (to dive).

DUS

i sus och dus: sus →

DUSSIN

gå tretton på dussinet (to go thirteen on the dozen) – to be very common and low value; to be a dime a dozen: *Streamingtjänster går det tretton på dussinet nu för tiden.*

DYR

stå någon dyrt (to stand sb. expensive) – there are huge negative consequences for sb.; to cost sb. dearly: *Det misstaget skulle komma att stå honom dyrt.*

DÅ

då och då (then and then) – occasionally; now and then: *Då och då klär han av sig naken och lägger sig i snön.*

DÄR

si så där (so so there) – 1. somewhat; fairly; moderately; 2. approximately: *Den gamla vinylspelaren fungerar bara si så där.*

DÄRHÄN

lämna något därhän (to leave sth. thither) – to let sth. be; to leave a topic: *Nu har vi bett om ursäkt och så lämnar vi det därhän.*

DÖD

den enes död (är) den andres bröd (the death of sb. (is) the bread of sb. else) – sb.'s misfortune might be beneficial to sb. else: *I krig är den enes död den andres bröd. Det finns alltid någon som skor sig på katastrofer.*

DÖMA

efter allt att döma (judging by everything) – seemingly: *Bokföring verkar vara i sin ordning efter allt att döma.*

DÖRR

sopa rent framför/för egen dörr (to sweep clean in front of one's own door) – to correct one's own faults (before critizing sb. else): *Många har åsikter om hur andra lever sina liv utan att sopa rent för egen dörr först.*

bakom lyckta dörrar (behind closed doors) – behind closed doors (mainly judicial): *Rättegången hölls bakom lyckta dörrar.*

💡 *Lyckta* is the past participle of the verb *lycka*, an archaic verb which means *to close*. It is only used in this judicial expression. Compare

Danish and Norwegian *lukke*.

The contemporary Swedish word used for this is *stänga*.

DÖV

tala för döva öron: öra →

DÖVÖRA

slå dövörat till (to turn a deaf ear) – to not want to listen: *Det har demonstrerats i hela landet men politikerna har valt att slå dövörat till i den här frågan.*

E

EFFTERKÄLKE

vara/komma på efterkälken (to be/come on the hindsleigh) – to be/lag behind: *Det såg ut som att det svenska laget skulle vinna skidstafetten men mot slutet kom åkarna på efterkälken.*

ELD

ingen rök utan eld (no smoke without a fire) – there has to be a reason for something; no smoke without a fire: *Någonting måste ligga bakom ryktena. Ingen rök utan eld.*

eld i baken (fire in the behind) – sudden hurry: *Myndigheten fick eld i baken när tidningarna började ställa frågor.*

eld och lågor (fire and flames) – very enthusiastic: *Mamma blev eld och lågor när jag sa att hon skulle bli mormor.*

bränt barn skyr elden: barn →

ha många järn i elden: järn →

ELDPROV

gå igenom ett eldprov (to go through a fire test) – to go through an ordeal: *CD och vinyl gick igenom ett eldprov när streaming kom.*

ELEFANT

en elefant i en porslinsbutik (an elephant in a china shop) – sb. who unknowingly behaves poorly; a bull in a china shop: *Ibland ska du kanske tänka på vad du säger och inte vara en elefant i en porslinsbutik.*

ELFTE

i elfte timmen (at the eleventh hour) – at the last minute; at the eleventh hour: *Ordningsvakterna kom i elfte timmen för att förhindra att någon hamnar på tunnelbanespåret.*

💡 This is another idiom from the Bible which can be found in Matthew 20:6 for those interested in its origin.

EN

var och en: var →

ESS

ha ett ess i rockärmen (to have an ace in the sleeve of one's coat) – to have sth. additional ready on reserve to get an advantage; to have an ace up one's sleeve: *Det såg inte så bra ut för advokatens klient men själv hade hon ett ess i rockärmen som skulle kunna resultera i ett frikännande.*

ESSE

vara i sitt esse (to be in one's being) – to be in one's element: *Där det fanns ett piano på festen var han i sitt esse.*

💡 *In seinem Esse sein* was borrowed

from German where *Esse* means *being*. The word is in turn borrowed from Latin.

ETT

ett och annat: annat →

gå på ett ut (to go on one out) – to not matter; to be equal: *Jag är inte sugen på någon av förslagen så det går på ett ut.*

ETTER

etter värre (only worse) – (coll.) even worse: *Smärtan i ögat har blivit etter värre.*

💡 *Etter* is a dialectal word with the meaning *quite* or *only*.

F

FAGGA

vara i faggorna (to be in the rags) – to be approaching: *Invigningen av det nya varuhuset är i faggorna.*

FALL

knall och fall: knall →

FALLA

stå och falla med någon/något: stå →

FAN

det var då själva fan (that was the devil himself) – (coll.) expresses frustration: *Men det var då själva fan vad kaffemaskinen ska krångla!*

det var som fan (that was like the devil) – expression of surprise: *Det var som fan, Håkan! De ska bygga lägenheter på den gamla fotbollsplanen.*

det vete fan (the devil may know) – to not know sth.; who knows; God knows: – *Kommer du på festen i helgen?* – *Nä, det vete fan.*

fan och hans moster (the devil and his aunt) – (coll.) whatnot; all sorts: *Det går att gå ner i vikt utan massa armhävningar, kosttillskott och fan och hans moster.*

full i fan (full in the devil) – (coll.) playfully cheeky and mischievous: *Hon trodde att hennes kollega menade allvar men såg sedan hur full i fan hen såg ut.*

måla fan på väggen (to paint the devil on the wall) – (fig.) to make a situation worse than it is: *Du kan ju inte ge upp och måla fan på väggen innan du gjort någonting åt saken.*

som fan (like the devil) – very; to a high degree (used as an intensifier): *Joel sprang som fan när polisen kom.*

FARA

blåsa faran över (to blow danger over) – to declare a crisis over: *Det är för tidigt för riksbanken att blåsa faran över för inflationen.*

FARSTU

vara född i farstun (to be born in the hall) – to be unintelligent: *Morfar fick hjälp med sin läckande kran och sa till mig att jag minsann inte var född i farstun. Det var den finaste komplimangen han någonsin frambringat, tror jag.*

falla i farstun (to fall in the hall) – to be easily impressed: *Det är lätt att falla i farstun när man ser lyxbilar och dyra klockor.*

FASON

få fason på något (to get sth. in shape) – to get sth. in order; to tame sth.: *Den nya ekonomichefen skulle först få fason på utgifterna.*

FASTNAGLAD

stå som fastnaglad (to stand like being nailed stuck) – to stand very still: *Norrsken dansade över himlen och människorna stod som fastnaglade och stirrade upp i skyn.*

FAT

ligga någon i fatet (to lie sb. on the plate) – to be a disadvantage for sb.: *Hans högmod skulle så småningom ligga honom i fatet.*

FEL

sitta fel (to sit wrong) – to go wrong (about food and drinks, mainly negated); one could use sth.: *Det skulle inte sitta fel med en kebabpizza i kväll.*

vara fel ute (to be wrong out) – to have come to the wrong conclusions: *De som skyller alla brott på invandrare är fel ute.*

FELA

det är mänskligt att fela (it is human to err) – everyone makes mistakes; to err is human: *Det är viktigt att kunna förlåta och inse att det är mänskligt att fela.*

From the latin proverb "Errare humanum est", penned by the Roman author Cicero.

FEM

inte för fem öre: öre →

FEMMA

en annan femma (a different five) – a different matter: *Det är lätt att klaga men att faktiskt göra någonting åt problemet är en annan femma.*

FICKA

känna något som sin egen ficka (to know sth. like one's own pocket) – to know sth. very well; to know sth. like the back of one's hand: *Stockholm var hans stad och han kände den som sin egen ficka.*

ur egen ficka (out of one's own pocket) – with one's own money: *Det fanns inga medel för att erbjuda svenskundervisning så flyktingarna fick betala den ur egen ficka.*

knyta näven i fickan: näve →

FIKON

få fikon (to get figs) – to get fooled: *Räven trodde att han skulle ta en höna men fick fikon.*

FILBUNKE

lugn som en filbunke (calm like a bowl of sour milk) – very calm: *Under stormen var piloten lugn som en filbunke och kunde hålla planet på rätt kurs.*

A *filbunke* is a pudding-like dish with sour milk. In Finland-Swedish its shortened form is *fil*. In Sweden however, this abbreviation is used for *filmjölk* which is another type of sour milk.

FIN

vill man vara fin får man lida pin (if one wants to be pretty, one must endure pain) – to become beautiful one has to endure certain inconveniences; beauty is pain; no pain, no gain: *Hon tyckte det gjorde ont att kamma håret men vill man vara fin får man lida pin som hennes mamma alltid sa.*

💡 The word *pin* is a shortened form of *pina* (pain) which, on their own, are not often used in contemporary Swedish. The more common default translation of *pain* is *smärta*.

FINGER

ha ett finger med i spelet (to have a finger in the game) – to have sth. to do with sth.; to have a hand in the game: *USA har ett finger med i spelet som vanligt.*

inte lyfta/kröka/röra ett finger (to not lift/bend/move a finger) – to refrain from doing anything at all; to not lift a finger: *Han lyfte inte ett finger när hans bästa vän greps av romarna.*

med förvåningens finger i häpnadens mun: förvåning →

peka finger (to point finger) – 1. (fig.) to blame; to point fingers; 2. (fig.) to taunt; 3. to show the middle finger: *Det är onödigt att peka finger eftersom det inte spelar någon roll vem som bär ansvaret. Det är bättre att vi hittar en lösning på problemet.*

sätta fingret på något (to put the finger on sth.) – to pinpoint sth.; to put one's finger on sth. (mainly negated): *Väl på flyget kändes det som om familjen hade glömt något men de kunde inte sätta fingret på vad.*

ha gröna fingrar (to have green fingers) – (fig.) to be good with plants; to have a green thumb: *Min sonson har en så himla fin trädgård men det krävs verkligen att man har gröna fingrar för det.*

ha/få långa fingrar (to have/get long fingers) – (fig.) to be thieving: *Den öppna handväskan gjorde att han fick långa fingrar. Han kunde inte hjälpa det. Han älskade att stjäla.*

med fingrarna i kakburken: kakburk →

med fingrarna i syltburken: syltburk →

det kliar i fingrarna (it itches in the fingers) – to be tempted/really be in the mood to do sth.: *Jag har inte spelat piano på en vecka men nu kliar det riktigt i fingrarna.*

se mellan fingrarna (to see through the fingers) – to ignore a minor misdemeanor; to turn a blind eye: *Läraren såg att eleverna ångrade sitt beteende och beslutade att se mellan* *fingrarna den här gången.*

slå någon på fingrarna (to hit sb. on the fingers)– 1. (fig.) to show that sb. is in the wrong; 2. (fig.) to win against sb.: *Han slog världsmästaren i schack på fingrarna.*

FINNA

finna sig i något (to find oneself in sth.) – to accept sth.; to come to terms with sth.: *Han var tvungen att finna sig i att det var måndag hela veckan.*

FIOL

släppa till fiolerna (to release the violins) – (coll.) to pay for everything: *Byggfirman saknade försäkring och chefen fick själv släppa till fiolerna.*

stå för fiolerna (to stand for the violins) – (coll.) to pay for everything: *Bröllopet blev århundradets fest men svärfadern var rik och erbjöd sig att stå för fiolerna.*

FISK

fina fisken (the fine fish) – (coll.) great: – *Rörmokaren sa att han kommer redan imorgon. – Fina fisken!*

trivas som fisken i vattnet (to be happy like the fish in the water) – to be very happy with one's situation: *Han trivdes som fisken i vattnet i sin nya skola.*

i de lugnaste vatten går/simmar de största/fulaste fiskarna (in the calmest waters the biggest/ugliest fish walk/swim) – sb. that seems to have good intentions might not: *Den nya mystiska pojken i skolan är snygg men i de lugnaste vatten simmare de fulaste fiskarna.*

FJÄDER

en fjäder i hatten (a feather in one's hat) – sth. to be proud of; a feather in one's hat: *Det lilla företaget blev kunglig hovleverantör. En riktig fjäder i hatten för grundarna.*

göra en höna av en fjäder: höna →

lätt som en fjäder (light like a feather) – very light; light as a feather: *Pappan lyfte upp sitt barn. Han tyckte att sonen kändes lätt som en fjäder.*

spänd som en fjäder (taut like a spring) – very nervous: *Under inträdesprovet var hon spänd som en fjäder. Det märktes men hon lyckades ändå genomföra det med bravur.*

lysa/prunka med lånta fjädrar (to shine/flaunt with borrowed feathers) – to boast with/claim the honors for sth. one hasn't achieved oneself; to adorn oneself with borrowed plumes: *Polismästaren tog på sig äran och lyste med lånta fjädrar under presskonferensen.*

💡 From a fable by the Roman fabulist Phaedrus, where a jackdaw wears a peacock's feathers.

FJÄDERHOLMEN

fara till fjäderholmarna (to travel to

the feather islands) – (finl.) (fig.) to sleep; to fall asleep: *Hon höll på att fara till fjäderholmarna när hon plötsligt hörde ett ljud från ytterdörren.*

FJÄRIL

ha fjärilar i magen (to have butterflies in the stomach) – (fig.) to be nervous; (fig.) to have butterflies in one's stomach: *Sångerskan hade fjärilar i magen innan konserten.*

FLAGG

stryka flagg (to strike flag) – to surrender: *Efter 30 år fick affären stryka flagg och stänga.*

FLAGGA

med flaggan i topp (with the flag at the top) – (fig.) with remaining honor (often used together with some kind of defeat): *Laget åkte ur turneringen med flaggan i topp.*

FLAGGSTÅNG

lång som en flaggstång (long like a flagpole) – very tall: *Han reste sig upp för att hälsa och då såg man att han var lång som en flaggstång.*

FLUGA

dö som flugor (to die like flies) – to die in large numbers; to drop/die like flies: *Folk dog som flugor under medeltidens pestpandemi.*

slå två flugor i en smäll (to strike two flies in one bang) – to achieve two things with one act; to kill two birds with one stone: *Man har upptäckt att man med det nya läkemedlet kan slå två flugor i en smäll och använda det för olika åkommor.*

FLY

hellre/bättre fly än illa fäkta (to rather flee than to fence poorly) – it is better to retreat if you cannot win; he who fights and runs away may live to fight another day: *Först såg det ut som att försäkringsbolaget skulle överklaga domen men sedan tänkte de nog hellre fly än illa fäkta.*

FLYGA

flyga i luften: luft →

FLYT

ha flyt (to have flow) – to have luck and success: *Jag har haft sånt flyt på jobbet på sistone.*

FLÄKT

en frisk fläkt (a fresh breeze) – (fig.) causing a sudden new and positive atmosphere/change; a breath of fresh air: *Den nya kollegan var som en frisk fläkt på kontoret.*

FLÄSK

nu är det kokta fläsket stekt (now the boiled pork is fried) – something has gone very wrong: *Polisen bankar på dörren. Nu är det kokta fläsket stekt!*

FLÖTE

vara bakom flötet (to be behind the

float) – (coll.) to be unintelligent: *Tror du jag är helt bekom flötet, eller? Mig kan du inte lura.*

FNURRA

en fnurra på tråden (a knot on the thread) – 1. (coll.) a disagreement; 2. (coll.) difficulties: *Det blev en fnurra på tråden mellan Österrike-Ungern och Serbien en gång. Det slutade i katastrof.*

Apparently *fnurra* is a dialectal word for a loose knot, which is *knut* (with an unsilent k) in standard Swedish. At least it sounds funny.

FNÖSKE

brinna som fnöske (to burn like a tinder fungus) – to blaze: *Sommartorkan hade fått skogarna att brinna som fnöske.*

torr som fnöske (dry like a tinder fungus) – very dry: *Var försiktig med lyktan. Det är torrt som fnöske här ute.*

FULL

ha häcken full: häck →

full i fan: fan →

full i sjutton: sjutton →

fullt ut (fully out) – fully: *Hon stöttade sin flickvän fullt ut.*

för fullt (for full) – 1. at its height; in full swing; 2. intensely: *Konserten pågick för fullt när brandlarmet gick.*

ha fullt upp (to have full up) – to have lots to do; to have one's hands full: *Jag har fullt upp i helgen.*

för fulla muggar: mugg →

FURA

rak som en fura (straight as a pine) – very straight; good posture: *Miljardären var trevlig, karismatisk och rak som en fura.*

The common word for pine is *tall*, but *fura* is often used lyrically. The material (pine wood) is called *furu*, also in contemporary Swedish.

FOG

knaka i fogarna (to creak in the joints) – (fig.) to be close to bursting (often about a relationship): *Sedan deras barn flyttat hemifrån har deras äktenskap börjat knaka i fogarna. De har helt enkelt ingenting gemensamt längre.*

FOSTERLAND

för kung och fosterland: kung →

FOT

byta fot (to change feet) – (fig.) to change opinions: *Företaget har bytt fot och kommer sluta sälja produkten.*

på stående fot (on standing foot) – without preparation; immediately: *Politikern sa att han inte kunde lova något såhär på stående fot.*

stiga upp med fel fot (to get up with the wrong foot) – (finl.) (fig.) to be irritated for no reason; to get up on the wrong side of bed: *Fredrik var sur när han satte sig vid köksbordet. Han hade stigit upp med fel fot.*

stryka på foten (to strike on the foot) – to give in; to give way: *Det anrika kvarteret fick stryka på foten för ny motorväg.*

få fötter (to get feet) – (fig.) to disappear: *Mina bilnycklar har fått fötter.*

ta till fötters (to take to the feet) – (finl.) to quickly run away: *Barnen tog till fötters när de blev upptäckta av den arge gubben Pettersson.*

i fötterna på någon (in the feet on sb.) – (finl.) in sb.'s way: *Katterna springer alltid i fötterna på mig så att jag nästan snubblar.*

FRAM

bak och fram: bak →

fram och tillbaka (forth and back) – back and forth: *Flickorna gick fram och tillbaka till affären eftersom de ständigt mindes något de hade glömt att köpa.*

fritt fram: fri →

FRED

vara till freds (to be to peace) – to be satisfied: *Pensionären var till freds med livet.*

💡 *Till* used to take the genitive case, hence *fred* receiving the possessive -s suffix.

The expression also exists as its own adjective *tillfreds* (satisfied).

FRI

fritt fram (freely forward) – allowed; the coast is clear: *Det är fritt fram att ta för sig av kaffet och bullarna.*

FRID

frid och fröjd (peace and joy) – expresses a state of no problems and sorrows; fine and dandy; hunky-dory: *De trodde något hade hänt för att vi inte svarade i telefon men allt var frid och fröjd.*

FRISPEL

få frispel (to get free game) – to become angry/mad: *Mamma fick frispel när hon hörde var jag var i går kväll.*

FRÅN

det gör varken från eller till (it makes neither from nor to) – it does not matter; it makes no difference; it is neither here nor there: *Det gör varken från eller till om du säger förlåt. Jag hatar dig ändå.*

FRÅNVARO

lysa med sin frånvaro (to shine with one's absence) – to be absent: *Banketten skulle börja men pristagarna lös ännu med sin frånvaro.*

FRÖJD

frid och fröjd: frid →

så att det är en fröjd åt det (so that it is a delight to it) – (dtd.) (coll.) intensely: *I maj så blommar träden så att det är en fröjd åt det.*

FÅGEL

det smakar fågel (it tastes of bird) – to taste excellent (also fig. about sth. being good): *Vi åt Sushi på nya stället, kollegorna och jag, och det smakade sannerligen fågel.*

From an old proverb, roughly translated as "It still tastes like bird, said the old woman and boiled the cane on which the crow had sat."

en liten fågel har viskat/kvittrat [i någons öra] (a small bird has whispered/tweeted [in sb.'s ear]) – sb. has heard a rumour: *Du, en liten fågel har viskat i mitt öra att du ska bli befordrad. Grattis!*

The idiom, like so many, can be found in the Bible (Ecclesiastes 10:20).

hellre/bättre en fågel i handen än tio i skogen (rather/better one bird in the hand than ten in the forest) – it is better to have sth. than nth.: *Det finns bara en person som jag alltid ringer när jag har problem men hellre en fågel i handen än tio i skogen.*

det vete fåglarna (the birds may know) – to not know sth.; who knows; God knows: – *Vet du var mina vantar är? – Det vete fåglarna.*

FÄKTA

hellre/bättre fly än illa fäkta: fly →

FÖDA

man ska inte bita den hand som föder en: hand →

FÖDD

vara född i farstun: farstu →

FÖRVÅNING

med förvåningens finger i häpnadens mun (with the finger of the surprise in the mouth of the astonishment) – (finl.) surprised: *När jag läste brevet stod jag med förvåningens finger i häpnadens mun.*

G

GAME

gammal i gamet (old in the game) – experienced: *Bettan på personalavdelningen kan man alltid fråga för hon är gammal i gamet.*

GAMMAL

få betalt för gammal ost: ost →

gammal i gamet: game →

gammal i gårde/gården: gård →

gammal som gatan (old as the street) – very old: *Det där trädet är gammalt som gatan. Det stod här redan på farfars tid.*

ge igen för gammal ost: ost →

dra något gammalt över sig (to pull sth. old over oneself) – said when not wanting to deal with sb.: *Kan du sluta störa mig? Gå och dra något gammalt över dig.*

GALOPP

fatta galoppen (to understand the gallop) – (coll.) to understand something complicated: *Hon blinkade åt mig och jag fattade direkt galoppen.*

GATA

gammal som gatan: gammal →

GAPA

den som gapar efter mycket [mister ofta hela stycket] (the one who opens the mouth for much [often loses the whole piece]) – to be greedy: *Han blev miljonär på bitcoin men den som gapar efter mycket. I stället för att sälja förlorade han allt.*

GAS

gasen i botten (the gas in the bottom) – to concentrate all one's energy; to step on it; to put the pedal to the metal: *Staden trycker gasen i botten för att den nya bron ska bli färdig i tid till invigningen.*

GEMEN

gemene man: man →

GENIKNÖL

gnugga geniknölarna (to rub the genius lumps) – to think hard; to put one's thinking cap on: *Och nu ska deltagarna få gnugga geniknölarna ordentligt när vi går vidare till tiotusenkronorsfrågan.*

GETÖGA

kasta ett getöga (to throw a goat's eye) – to quickly look at sth.: *Han kastade ett getöga på hennes bröst och hoppades att hon inte hade märkt något.*

💡 *Getöga* probably has nothing to do with *get* (goat) but with the archaic verb *gäta* (to guard).

GIFT

ta gift på något (to take poison on

sth.) – (fig.) to swear that sth. is true: *Jag tar gift på att brevbäraren stjäl mina paket.*

GIVEN

ta något för givet (to take sth. for given) – to take sth. for granted: *Hon var en sådan där som tog det för givet att pappa skulle hjälpa henne ekonomiskt.*

GJUTEN

sitta som gjuten (to sit like molded) – to fit perfectly: *Den här mössan sitter som gjuten!*

GNUGGA

gnugga geniknölarna: geniknöl →
gnugga händerna: hand →

GLAS

inte spotta i glaset (to not spit in the glass) – to happily say yes to an alcoholic beverage: *Han spottar inte i glaset om han blir bjuden.*

titta för djupt i glaset (to look too deeply into the glass) – to become too drunk: *Rektorn var känd i byn för att titta lite för djupt i glaset.*

GLASHUS

kasta sten i glashus (to throw rocks in houses of glass) – (fig.) to be a hypocrite; to be a pot calling the kettle black; people who live in glass houses should not throw stones: *Oppositionen kastar ofta sten i glashus, vilket blir uppenbart när de själva sitter i regeringen.*

GLIDA

glida in på en räkmacka: räkmacka →

GLIMT

med glimten i ögat (with the twinkle in the eye) – not seriously; as a joke: *Det var tydligt att han sa det med glimten i ögat.*

GOD

gå i god för någon/något (to go in good for sb./sth.) – to vouch for: *Hon gick i god för att hennes vän var en av de bästa i sin branch i Sverige. Om du är missnöjd får du ta det med henne.*

var så god(a) (be so good) – a response to a thank you; here you are; here you go; you are welcome: – *Tack för presenten.* – *Var så god, älskling.*

håll till godo (hold to good) – (fml.) you're welcome!: *Här kommer jag med tårta. Håll till godo!*

för gott (for good) – forever; for good: *Många svenskar flyttade till USA för gott.*

gott och väl (good and well) – more than enough: *Det du har gjort för oss räcker gott och väl. Vi är för evigt tacksamma.*

kort och gott: kort →

så gott som (as good as) – virtually: *Så gott som alla svenskar äger en dalahäst.*

GRAV

gå i graven (to walk into the grave) – (fig.) to cease to exist: *Den anrika biografen går efter 90 år i graven.*

tyst som i graven (quiet like in the grave) – very quiet: *Efter explosionen var det tyst som i graven. Sedan kom skriken.*

GRILLER

sätta griller i huvudet på någon (to put crickets in the head on sb.) – to give sb. strange ideas: *Predikanten har satt griller i huvudet på församlingen.*

💡 *Griller* is a plural word only used in this expression. It is a direct loan from German *Grille* (cricket).

Griller is also slang for skates so that is what I always think of when I hear this expression.

GRIS

köpa grisen i säcken (to buy the pig in the sack) – 1. (fig.) to buy sth. without knowing its state or value, to buy a pig in a poke; 2. (fig.) to do sth. without knowing if it is indeed worth it: *Går man på bio är det lätt att köpa grisen i säcken eftersom man inte vet i förväg om filmen faktiskt kommer att vara bra.*

GREVE

i grevens tid (in time of the count) – at the last minute: *Sällskapet trodde att de skulle missa flyget men lyckades ta sig igenom säkerhetskontrollen i grevens tid.*

💡 The expression refers to Count Per Brahe and his time as ruler and protector of Finland. It's seen as a happy time in Finnish history which is why this phrase has come to mean something positive refering to an appropriate time.

GRIND

mota Olle i grind: Olle →

GROV

vara grov i munnen (to be rough in one's mouth) – to swear a lot: *Rockstjärnan var så grov i munnen så till och med de tuffa bandmedlemmarna rodnade.*

GRUND

i grund och botten (in ground and bottom) – essentially; at its heart; at bottom: *Sagan handlar i grund och botten om rätt och fel.*

på grund av (on reason of) – due to: *Affären är stänsd på grund av sjukdom.*

GRÅTA

gråta över spilld mjölk: mjölk →

GRÄDDE

grädde på moset (cream on the mash) – sth. to make sth. good even better; the cherry on top; icing on the cake: *Och som grädde på moset har vi även sol på semestern!*

GRÄS

bita i gräset (to bite in the grass) – (fig.) to fail; to die; to bite the dust: *Hammarby IF bet i gräset när de mötte AIK.*

GRÖT

gå/smyga som katten kring het gröt (to walk like the cat around hot porridge) – to avoid being direct; to beat around the bush: *Finländare går mer rakt på sak medan svenskar gärna smyger som katten runt het gröt.*

vara het på gröten (to be hot on the porridge) – to be eager: *När man går på auktion är det viktigt att inte vara för het på gröten.*

GUBBE

den gubben går inte (that old man doesn't work) – (coll.) I'm not falling for that one (mainly in past tense): *Nej, den där gubben gick inte. Så dum är jag inte.*

GUD

för guds skull (for God's sake) – for God's sake: *För guds skull Mårten, ta på dig lite kläder!*

en syn för gudar (a sight for gods) – a long-awaited and exhilarating sight: *Den här utsikten över fjorden är verkligen en syn för gudar.*

gudars skymning (the dusk of the gods) – exclamation of fear and surprise: *Gudars skymning! Vad hände egentligen igår?*

GULD

allt är inte guld som glimmar (not everything that gleam is gold) – not everything is what it looks like: *Den nya arbetsplatsen verkar fantastisk men allt är inte guld som glimmar.*

lova guld och gröna skogar (to promise gold and green forests) – to make big promises which might seem too good to be true: *Hyresvärden lovar guld och gröna skogar men trapphuset är fortfarande i samma dåliga skick som innan.*

GULDVÅG

väga sina ord på guldvåg (to weigh one's words on a scale for gold) – to choose one's words carefully: *Är man mediatränad så vet man hur man väger sina ord på guldvåg.*

GÅ

gå an (to go towards) – to be possible; to do: – *Kan vi få låna en dator?* – *Tja, det går väl an.*

GÅNG

en gång för alla (once and for all) – finally; once and for all: *Nu får det bli ett slut på inbrotten en gång för alla!*

gå sin gilla gång (to walk one's valid walk) – to progress as usual: *Trots kriget går livet sin gilla gång i den* *lilla staden.*

för en gångs skull (for one time's sake) – for once: *Kan du inte vara lite trevlig för en gångs skull?*

tredje gången gillt (third time valid) – third time's a charm: *Tredje gången gillt sa brudgummen på sin bröllopsdag.*

GÅRD

gammal i gårde/gården (old at the farm) – experienced: *Gubben var gammal i gårde och tog på sig ansvaret för mer än någon annan på arbetsplatsen.*

Gårde is an old dative form of *gård*, used when sth. is in or at sth.

The lack of this grammatical case has probably transformed the word in this idiom to *gården* (the farm). This variant is, however, at least 300 years old.

GÅS

ha en gås oplockad med någon (to have an goose unplucked with sb.) – to have an unresolved conflict with sb.: *Gubben i kiosken har jag en oplockad gås med. Han gav mig för lite växel senast.*

vara som att hälla/slå vatten på en gås (like pouring water over a goose) – to be pointless: *Att plocka plast på stranden är som att hälla vatten på en gås men det känns ändå rätt.*

GÖRA

gör om, gör rätt (do over, do right) – said when sb. has made a big mistake: *Han försökte uppvakta mig med praliner med nötter fast jag är nötallergiker. Gör om, gör rätt, säger jag.*

HACKA

inte gå av för hackor (to not break for pickaxes) – to be very good: *Den här hamburgaren går minsann inte av för hackor.*

Hacka does not mean *pickaxe* in this particular expression but refers to a card in a card game with a low denomination.

HALS

en tupp i halsen: tupp →

HALV

halvt om halvt (half by half) – 1. almost; a little; 2. incomplete; insufficient: *Drickat är halvt om halvt uppdrucken och festen är nästan slut.*

I grew up thinking the expression was *halvt som halvt* and a quick search online shows that I'm not alone.

An older variant was *halvt och halvt* and also included the definition *to divide equally*.

HAND

efter hand (after hand) – eventually: *Har man väl börjat lära sig något så blir man bättre efter hand.*

This expression also exists as one word: *efterhand*.

ha god hand med någon/något (to have a good hand with sb./sth.) – to be able to handle something with skill; to be good with: *Hotellet var omtyckt eftersom dess anställda hade god hand med människor.*

i andra hand: andra →

leva ur hand i mun (to live out of hand into mouth) – to get by; to live hand to mouth: *Det är en bra idé att som student leva ur hand i mun och spara om man vill leva gott senare i livet.*

man ska inte bita den hand som föder en (one must not bite the hand which feeds one) – do not be ungrateful; do not bite the hand that feeds you: *Hennes arbetsplats är kanske inte den bästa men i slutändan ska man inte bita den hand som föder en.*

passa som hand i handske (to fit like a hand in a glove) – to fit perfectly: *Det passar mig som hand i handske att vara ensam ikväll. Det bli whisky och västernfilmer.*

ta skeden i vacker hand: sked →

handen på hjärtat: hjärta →

hellre/bättre en fågel i handen än tio i skogen: fågel →

inte låta den vänstra handen veta vad den högra gör (to not let the left hand know what the right hand does) – expresses that the acts of sb. are conflicting: *Först trodde jag att han var intresserad av mig men han låter inte den vänstra handen veta vad den högra gör.*

två sina händer (to wash one's hands) – (fig.) to disclaim responsibility: *Än en gång tvår partiledningen sina händer i stället för att ta på sig ansvaret för sitt partis våldsamma historia.*

💡 *Två* is an archaic word that means *to wash*. In modern Swedish, the verb commonly used is *tvätta* (wash/clean).

The expression refers to a scene from the Bible (Matt. 27:24) where Pilate washes his hands and says "I am innocent of the blood of this just person".

gnugga händerna (to rub one's hands) – (fig.) to be pleased or delighted: *Den lokale entreprenören gnuggade händerna när han hörde att fastigheten var till salu.*

ha händerna fulla (to have one's hands full) – (fig.) to have lots to do; to have one's hands full: *Jag skulle gärna hjälpa men jag har händerna fulla just nu. Fråga Agnes. Hon har nog tid.*

råka i händerna på någon (to end up in the hands on sb.) – to fall victim to sb.: *Han sprang men råkade ändå i händerna på rånarna.*

HANDDUK

kasta in handduken (to throw in the towel) – (fig.) to give up; to admit defeat; to throw in the towel: *Forskningsprojektet har inte gett något resultat och det är dags att kasta in handduken.*

HANDSKE

passa som hand i handske: hand →

HANDVÄNDNING

i en handvändning (in a turn of the hand) – quickly; in a flash: *De här ändringarna görs inte i en handvändning.*

HALS

hals över huvud (neck over head) – in a hurry: *Tjuvarna flydde hals över huvud när hon överraskade dem i nattlinne och med järnrör i handen.*

HAPP

hipp som happ: hipp →

HARE

nära skjuter ingen hare (close doesn't shoot any hare) – it's not enough to almost succeed; close only counts in horseshoes and hand grenades: *Jag kom nästan in på skolan. Det saknades bara en poäng men nära skjuter ingen hare.*

HASTIG

hastigt och lustigt (fast and funny) – quickly; without thinking twice; just like that: *Och den kvällen bestämde de sig hastigt och lustigt att säga upp sig och resa jorden runt.*

HATT

rulla hatt (to roll hat) – (fig.) to party: *Nu när det äntligen är lönehelg ska vi ut och rulla hatt.*

äta upp sin hatt (to eat all of one's hat) – (fig.) to assure that one wholeheartedly believes sth. to be true: *Jag vet att du är duktig så om du inte kommer in på universitetet så äter jag upp min hatt.*

en fjäder i hatten: fjäder →

glad i hatten (happy in the hat) – (coll.) drunk: *Prästen syntes lite alltför glad i hatten mot slutet av nattvarden.*

HAV

till havs (to sea) – at sea: *Många vikingar försvann till havs.*

💡 *Till* used to take the genitive case, hence *hav* being in the possessive form here.

HAVER

hur som haver (how as has) – (dtd.) anyway; either way; in any way: *Hur som haver så måste vi äta nu.*

💡 *Haver* is an older variant of *har* (has).

HEDENHÖS

från hedenhös (from hedenhös) – from ancient times: *Det känns som pappas hela lägenhet är från hedenhös.*

💡 From the Old Swedish expression *af hedhnom hös* which literally means *from pagan man*, refering to pagan times.

HEJ

man ska inte ropa hej [förrän man kommit över bäcken] (one should not yell hello [before one has made it over the creek]) – one should not be too rash: *Vi har tre rätt på lotto men man ska inte ropa hej förrän man kommit över bäcken.*

HEL

helt och hållet (wholly and held) – completely; fully: *Datorhaveriet har åtgärdats helt och hållet.*

HELST

hur som helst (how as rather) – anyway; either way; in any way: *Man kan inte bygga ihop möbler hur som helst. Man måste följa instruktionerna.*

HELVETE

dra/fara åt helvete (to move towards hell) – (crude) to go away; to get lost; to go to hell: *Dra åt helvete, snutjävel!*

ta hus i helvete: hus →

HEM

hälsa hem (to send greetings home) – 1. (fig.) to give up all hope; 2. (fig.) to be finished: *Är man nästan 60 år gammal så kan man hälsa hem om man blir av med jobbet.*

HEMMA

borta bra men hemma bäst (away good but home best) – it's fun to travel but it's always nice to come home; home sweet home: *Egentligen älskar jag att resa men när jag väl kommer hem tänker jag "borta bra men hemma bäst".*

HETT

få det hett bakom öronen: öra →

gå hett till (to go hot about) – to become intense; to become rowdy; (fig.) to heat up: *Det gick hett till under ishockeymatchen.*

HIMMEL

allt mellan himmel och jord (everything between heaven and earth) – everything that exists/is possible; everything under the sun: *På första dejten pratade vi om allt mellan himmel och jord.*

som manna från himlen: manna →

vara i sjunde himlen (to be in seventh heaven) – to be in a state of extreme joy and satisfaction; to be in seventh heaven: *Varje gång hon gick in på en hederlig gammal skivaffär var hon i sjunde himlen.*

HIPP

hipp som happ (hipp as happ) – however; in any way; without planning/thought; willy-nilly: *Det var ingen ordning på någonting och allt var lite hipp som happ.*

💡 From Danish *hip som hap*. Ultimately from Low German or Dutch *hippen* (to jump).

HIT

hit och dit (here and there) – 1. back and forth; 2. aimlessly; hither and thither: *Han flyttade hit och dit, från stad till stad, men kände sig aldrig riktigt hemma.*

HJUL

känna sig som femte hjulet under vagnen (to feel like the fifth wheel under the wagon) – to feel redundant and in the way; to feel like the third wheel: *Han var på festen för sin väns skull men kände sig som femte hjulet under vagnen i det sällskapet.*

sätta käppar i hjulet: käpp →

HJÄRTA

ha hjärtat i halsgropen (to have the heart in the throat pit) – (fig.) to be afraid: *Vågorna gick högt och färjans passagerare hade alla hjärtat i halsgropen tills de kom i land.*

ha hjärtat på rätta stället (to have the heart in the right place) – to be good and courageous: *Dessa ungdomar har* *varit småkriminella men de har i alla fall hjärtat på rätta stället.*

handen på hjärtat (the hand on the heart) – complete honesty: *Men handen på hjärtat. Tycker du verkligen om ost?*

HJÄRTERUM

finns det hjärterum finns det stjärterum (if there is room for the heart there is room for the butt) – among friends there is always room to sit: *Kom och sätt dig hos oss! Vi kan ju tränga ihop oss. Finns det hjärterum finns det stjärterum.*

HORN

ha ett horn i sidan till någon (to have a horn in the side to sb.) – (fig.) to dislike sb.: *Jag förstår inte varför du har ett orn i sidan till honom. Han är ju jätteschysst!*

ta tjuren vid hornen: tjur →

HOPPA

det kan du hoppa upp och sätta dig på (you can jump up and sit on that) – expression of guarantee; you bet: – *Ska du med på afterwork?* – *Jajamänsan, det kan du hoppa upp och sätta dig på!*

HOSTA

hosta upp pengar (cough up money) – (fig.) (coll.) to pay: *Jag kan inte bara hosta upp massa pengar för att du vill operera brösten.*

HUGG

slag/hugg i luften: slag →

i högsta hugg (in the highest chop) – equipped with; in hand: *Läraren kom med den röda pennan i högsta hugg.*

💡 The expression implies that the subject appears abruptly and rampantly equipped with sth. without the idiom being negative as such.

HUGGEN

hugget som stucket (chopped as stabbed) – no difference: *Det är hugget som stucket vilket alternativ vi väljer. De leder båda till samma resultat.*

HULL

med hull och hår (with soft tissue and hair) – everything; wholly: *De svalde verkligen historien med hull och hår!*

💡 *Med hull och hår* is usually used in the context *to naively believe sth.* and is used with *svälja* (to swallow).

HULLER

huller om buller (noise by noise) – disorganized; helter-skelter; higgledy-piggledy: *När de kom hem från semestern låg allt i huset huller om buller.*

💡 *Huller* is just a rhyming reduplication of *buller* (rumble/

noise).

HUND

här ligger en hund begraven (here a dog lies buried) – expresses suspicion about a situation: *Han skulle träffa sina vänner på sin svensexa men det var ingen där när han kom och han insåg snabbt att här ligger det en hund begraven.*

HUNDHUVUD

bära hundhuvudet (to carry the dog's head) – to take the blame for sth.: *Redaktören stod bakom journalistens artikel och fick offentligt bära hundhuvudet för den.*

HUNDRA

inte helt hundra (på något) (not completely one hundred (at sth.)) – not sure: *Jag är inte helt hundra på om hon kommer till jobbet i dag. Ska jag ringa och kolla?*

HUNGRIG

hungrig som en varg: varg →

HURRA

inte mycket/inget att hurra för (not much/nth. to say hurray for) – not much; underwhelming; (fig.) not much/nth. to cheer for: *Vädret är inget att hurra för men vi har i alla fall varm choklad.*

HUS

ta hus i helvete (to take house in hell) – to descend into chaos; shit hits the fan; all hell breaks loose: *Om mamma och pappa får reda på att jag åkt till min pojkvän i Västerås kommer det ta hus i helvete.*

💡 *Ta hus* is an archaic expression meaning *to go as a result of sth.*

göra rent hus (med något) (to make clean house (with sth.)) – 1. to completely clean sth. out/empty/hide sth.; 2. to part ways from sth.: *Det är dags att göra rent hus med fjolåret och börja ett nytt liv.*

gå man ur huse (to walk man out of house) – to go out en masse: *Invånarna gick man ur huse för att gå på cirkusen som kommit till den lilla stan.*

HUT

veta hut (to know respect) – to behave; to show some manners (mainly about children): *Ungdomar ska lära sig att veta hut.*

💡 The word *hut* is basically only used in this expression and is, according to the dictionary, a *feeling of respect* or *the ability to feel shame.*

HUVUD

hals över huvud: hals →

ha huvudet på skaft (to have the head on a shaft) – to be intelligent:

Han må vara fattig men har huvudet på skaft.

ha hål i huvudet (to have a hole in one's head) – (fig.) (coll.) to be stupid: *Alltså, har du hål i huvudet? Vad fan gör du?*

klia sig i huvudet (to scratch one's head) – to be confused; to scratch one's head: *Många kliar sig i huvudet över tv-kanalens agerande.*

slå huvudet på spiken: spik →

sätta griller i huvudet på någon: griller →

sätta myror i huvudet på någon: myra →

HÅG

glad i hågen (happy in the mind) – happy and satisfied: *Just denna söndagkväll kände han sig särskilt glad i hågen.*

HÅGAD

vara hågad (to be minded) – to feel like: *Han kände sig inte hågad att skriva under kontraktet och lämnade mötet till allas förvåning.*

HÅL

ha hål i huvudet: huvud →

slå hål i sidan (to hit a hole in the side) – (finl.) (fig.) to go wrong (about food and drinks, mainly negated); one could use sth.: *Det skulle inte slå hål i sidan med lite salmiak just nu.*

HÅLLA

håll till godo: god →

HÅR

hänga på ett hår (to hang on a hair) – 1. (fig.) to be close to failing; 2. (fig.) to be in a dangerous situation that is close to escalating: *Fredsförhandlingarna hänger på ett hår och man är orolig för att situationen ska bli värre.*

ha ont i håret (to have pain in the hair) – (coll.) to be hungover: *Gårdagens middag var jättetrevlig men i morse vaknade vi och hade ont i håret.*

vara på håret (to be on the hair) – to be close to happening/doing sth.; to be a close call: *Det var på håret att vi blev upptäckta!*

HÅRDHANDSKE

ta i med hårdhandskarna (to take in with the hard gloves) – to take drastic measures; to do sth. the hard way; to get tough; to crack down: *Polisen måste ta i med hårdhandskarna för att äntligen få bukt med gängvåldet.*

HÅV

gå med håven (to walk with the collection bag) – to angle for praise: *För en gångs skull gör kommunen någonting som allmänheten krävt men går sedan med håven som vore de deras frälsare.*

HÄCK

ha häcken full (to have the rack full) – to have lots to do; to have one's hands full: *Jag har häcken full på jobbet.*

HÄGG

mellan hägg och syren (between bird cherry tree and lilac) – a short time in the early summer: *Hon älskade Sverige som mest mellan hägg och syren.*

HÄL

hack i häl (cut in heel) – right behind: *Ettan hade tvåan hack i häl under hela loppet.*

i hälarna (in the heels) – right behind: *De hade tanten i hälarna efter att de stulit hennes väska.*

HÄLFTEN

hälften hälften (half half) – fifty-fifty: *Folk svarade ungefär hälften hälften på undersökningen.*

HÄLSA

hälsa hem: hem →

slit den med hälsan (wear it out with the health) – (coll.) here you go!: *Här har du boken. Slit den med hälsan.*

HÄPNAD

med förvåningens finger i häpnadens mun: förvåning →

HÄR

här och var (here and each) – in a few random places everywhere; here and there: *Man kan hitta geocacher lite här och var i världen.*

HÄRD

egen härd är guld värd (a hearth of one's own is worth gold) – it is invaluable to have a home of one's own: *Inflation och bostadskris har verkligen gjort det gamla uttrycket "egen härd är guld värd" mer aktuellt än någonsin.*

HÄRLIG

så det står härliga till (to be lovely) – (coll.) intensely: *Barnen åt glass så det stod härliga till.*

💡 The particle verb *stå till* is usually used to ask about someone's well-being but is also used to describe the state of something.

HÄST

äta som en häst (to eat like a horse) – to eat a lot and ceaselessly: *När barnen kommer hem från skolan äter de som hästar.*

inte ha alla hästar hemma (to not have all horses at home) – to be unintelligent/weird/mad: *Den där snubben som samlar på naglar kan inte ha alla hästar hemma.*

sitta på sina höga hästar (to sit on one's high horses) – (fig.) to be arrogant and condescending; to be full of oneself; on one's high horse: *Du behöver inte sitta på dina höga hästar bara för att du hade rätt om en sak. Så* *jävla duktig är du inte.*

HÄSTLÄNGD

slå någon/något med hästlängder (to beat sb./sth. with horse lengths) – to be superior; to win big: *Semester hemma på balkongen slår flera timmars kö på flygplatsen med hästlängder.*

HÄSTVÄG

något i hästväg (sth. in the direction of a horse) – extraordinary: *Det nya köpcentrumet är något i hästväg.*

HÄVA

häva ur sig något (to heave sth. out of oneself) – (neg.) to say sth. inappropriate without restraints: *Politikern hävde ur sig rasistiska kommentarer under debatten.*

HÖG

hela högen (the whole pile) – everyone; every single one of; the whole bunch: *Ni är elaka hela högen!*

i högan sky: sky →

sitta på sina höga hästar: häst →

HÖGER

till höger och vänster (to right and left) – everywhere; left and right: *I Gamla stan är det turister till höger och vänster.*

HÖJD

på sin höjd (on its peak) – at the most: *Jag kommer inte fira min födelsedag. Det blir tårta på sin höjd.*

HÖNA

göra en höna av en fjäder (to make a hen of a feather) – (fig.) to exaggerate the importance of sth. insignificant; to make a mountain of a molehill: *Vad spelar det för roll om vi målar huset gult eller vitt. Nu gör du verkligen en höna av en fjäder.*

även en blind höna kan finna/hitta ett korn (even a blind hen can find a grain) – anyone can get lucky: *När han upptäckte att hans lillasyster hade nybörjartur i tv-spelet tänkte han att även en blind höna kan finna ett korn.*

HÖNS

vara högsta hönset [i korgen] (to be the highest hen [in the basket]) – to be the most distinguished person in a group; to be the one in charge; to be head honcho: *Det märktes snabbt att Bettan i receptionen var högsta hönset på kontoret.*

springa runt som yra höns (to run around like dizzy hens) – to run around aimlessly; to hurry: *När butiken öppnade dörrarna till mellandagsrean sprang kunderna runt som yra höns.*

HÖRN

måla in sig i ett hörn (to paint oneself into a corner) – (fig.) to act in such a way that there is no point of return: *Under samtalet försade han sig och målade snabbt in sig i ett hörn.*

vara med på ett hörn (to participate on a corner) – to be a little involved: *När prinsessan skulle döpas var även hennes gudmor med på ett hörn.*

HÖST

på ålderns höst (in the autumn of age) – with old age: *Många lever i fattigdom på ålderns höst.*

I

I

pricken över i:et: prick →

ICKE

icke sa Nicke (nay said Nicke) – no: *Grannen kom och ville låna häcksaxen men icke sa Nicke.*

IDEL

vara idel öra: öra →

ILLA

ta illa vid sig (to take badly at oneself) – to be/become badly affected/hurt/very uncomfortable: *Han tog illa vid sig när han fick kritik från sina kollegor.*

vara/bli illa berörd: berörd →

fara illa (to travel badly) – to get hurt: *Flyktingar far ofta illa under själva flykten.*

INTRESSEKLUBB

intresseklubben antecknar (the club of interest is taking notes) – (coll.) sarcastically expresses the speaker's disinterest: *Visste du att Martin har köpt ny bil?*
– Intresseklubben antecknar.

INTE

inte för inte (not for not) – not without reason; not for nth.: *Det är inte för inte som jag tycker att du är en idiot.*

IS

ha is i magen (to have ice in the stomach) – (fig.) to keep calm in a stressful situation; to keep a cool head: *När börsen rasar så är det viktigt att ha is i magen.*

ingen ko på isen: ko →

J

JAKTMARK

de sälla jaktmarkerna (the happy hunting grounds) – death; the happy hunting grounds: *Han har vandrat till de sälla jaktmarkerna.*

JEHU

fara fram som ett jehu (to go forward like a Jehu) – to move fast and uncontrolled: *Matbudet for fram som ett jehu och höll på att cykla på mig.*

💡 From the Bible's depiction of Israeli king Jehu (2 Kings 9:20).

JORD

falla i god jord (to fall in good earth) – to be seen with interest; to be well received: *Hyresvärden ville höja hyran inför det nya året men det föll inte alls i god jord hos hyresgästerna.*

gå under jorden (to go under the earth) – to hide; to go to ground; to go underground: *När regimen började leta upp oppositionsledarna en efter en gick den större delen av dem under jorden.*

vara som uppslukad av jorden (to be as swallowed by the earth) – to have vanished: *Men när hon skulle be om en ny dejt var killen som uppslukad av jorden.*

JOTA

inte ett jota (not one iota) – nth. at all; not one iota: *Han vet inte ett jota om hur man gör sånt här. Det är mig en gåta hur han ens fick jobbet.*

JUL

det lackar/lider mot jul (it is slowly getting close to/progressing towards Christmas) – Christmas is closing in: *Nu när det lider mot jul är det många som går ut på stan för att köpa sista-minuten-klappar.*

JULGRAN

inte mycket/inget att hänga i julgranen (not much/nth. to hang in the Christmas tree) – not much; underwhelming; not much/nth. to cheer for: *Det där är väl inget att hänga i julgranen?*

JÄMN

låta udda vara jämnt: udda →

och därmed jämnt (and with that it is even) – end of discussion: *Vi ska åka och hälsa på mormor och därmed jämnt.*

JÄRN

ha många järn i elden (to have many irons in the fire) – (fig.) to multitask: *Influensern har haft många järn i elden i år: åkt på turné, spelat in ett album och skrivit en bok.*

slå i järn (to hit in iron) – to imprison; to put in chains; to put in irons:

Lösdrivare slogs i järn förr i tiden.

ge järnet (to give the iron) – to use all one's energy to achieve sth.; to fight with all one's might; to give it one's all: *Tränaren sa "Nu ger ni järnet, tjejer!" innan matchen, som sedan vanns med 4-0.*

K

KAJA

full som en kaja (drunk like a jack-daw) – (coll.) very drunk: *Gubben i parken var alltid full som en kaja.*

KAKA

kaka söker maka (cookie is seeking spouse) – similar people are drawn to each other; birds of a feather flock together: *Nya partiallianser bildas. Att kaka söker maka är ju bekant sedan länge.*

kaka på kaka (cake on cake) – 1. redundant duplication; tautology; 2. too much of sth.: *Det känns lite kaka på kaka att öppna en restaurang bredvid pizzerian här. Det här är en liten by och vi behöver inte mer än ett ställe för att äta och festa.*

plocka russinen ur kakan: russin →

KAKBURK

med fingrarna i kakburken (with the fingers in the cookie jar) – (caught) in the act; red-handed; in flagrante; with one's hand in the cookie jar: *Hon kom på honom med fingrarna i kakburken där han satt med hennes mobil i handen.*

KAKEL

ända in i kaklet (all the way into the tiling) – until the very possible end has been reached: *Nu kör vi ända in i kaklet, grabbar!*

💡 The expression implies either that there is a struggle or sth. to fight for and it is time to give one's all to push through and reach that goal, or that sb. just continues without afterthought and without stopping, maybe going too far in the process.

KALIBER

av samma kaliber (of the same caliber) – of the same type/value: *Svenska skådespelare är stundom av samma kaliber som amerikanska.*

KAM

dra/skära alla över en kam (to cut everyone over one comb) – to treat a group of people the same, disregarding the individual: *Det är fel att dra alla invandrare över en kam.*

💡 Nowadays often misinterpreted as *dra alla över en kant* (to pull everyone over one edge).

The verb *skära* (to cut with a knife) is here a misinterpretation of the German *scheren* (to cut with scissors).

KANEL

på kanelen (on the cinnamon) – very drunk: *Programledaren var på kanelen i direktsändning.*

KANON

skjuta mygg med kanon: mygg →

KANT

komma på kant med någon (to come on edge with sb.) – to get into a conflict with sb.: *Klassen kom snabbt på kant med den nya läraren som slutligen sade upp sig ett par veckor senare.*

fin i kanten (posh in the edge) – acting posh; picky: *Hans nya flickvän var för fin i kanten för att följa med till puben.*

dra alla över en kant: kam →

KAPPA

vända kappan efter vinden (to turn the coat after the wind) – to change one's opinions to profit from it: *Det är svårt att sympatisera med något parti eftersom de alltid vänder kappan efter vinden.*

KARAMELL

suga på karamellen (to suck on the hard candy) – 1. to drag out sth. enjoyable; 2. to be hesitant and reflective: *Efter vinsten njöt laget av vinsten och sög på karamellen fram till nästa match.*

KARETA

i full kareta (in full wagon) – at high speed: *Ambulansen körde in i korsningen i full kareta.*

💡 *Kareta* is an archaic word for carriage and also old Stockholm slang for *car*.

KARL

som en hel karl (like a whole man) – skillfully and properly: *Hon reparerade bastun som en hel karl.*

vara karl för sin hatt (to be man to his hat) – to show oneself capable: *Kungen har genom åren visat sig vara karl för sin hatt.*

KARTA

sätta något på kartan (to put sth. on the map) – to make sth. famous; to put sth. on the map: *Framgångarna i Eurovision Song Contest har satt Sverige på karta.*

KAST

stå sitt kast (to stand one's throw) – to be forced to endure the consequences of one's actions: *Det är hennes fel att det blev så här och nu får hon helt enkelt stå sitt kast.*

KASTA

kasta vatten: vatten →

kasta yxan i sjön: yxa →

KATT

det var som katten (that was like the cat) – expression of surprise: *Jag har fått post från kungen. Det var som katten!*

det vete katten (the cat may know) –

to not know sth.; who knows; God knows: *Det vete katten om man någonsin kommer vinna på lotto.*

gå/smyga som katten runt het gröt: gröt →

lyfta katten på bordet (to pick up the cat on the table) – (finl.) to address a difficult issue that people are too afraid to bring up; to address the elephant in the room: *Vid kejsarens hov var det ingen som vågade lyfta katten på bordet.*

när katten är borta dansar råttorna på bordet (when the cat is away the rats dance on the table) – when the superiors are away the subordinates do as they please; when the cat is away, the mice will play: *Hennes föräldrar hade bett henne att inte bjuda in några kompisar när de var bortresta men när katten är borta dansar råttorna på bordet.*

se ut som något katten släpat in (to look like sth. the cat dragged in) – to look terrible: *Efter en hel dags jobb i kloakerna såg de ut som något katten släpat in.*

arga katter får rivet skinn (angry cats get scratched skin) – if one behaves badly one will eventually get what one deserves: *Om du alltid grälar på din omgivning kanske det är dags att rannsaka sig själv. Du vet väl att arga katter får rivet skinn.*

KAVLA

kavla upp ärmarna: ärm →

KICK

på ett litet kick (in a little look) – quickly; in a flash: *Färden dröjde inte länge och de var framme på ett litet kick.*

💡 *Kick* has nothing to do with kicks but comes from the Danish noun *kig* (look). Compare Swedish *kika* (to peek).

KIKARE

ha något i kikaren (to have sth. in the binoculars) – to have a plan/to be up to sth. that others do not really know about: *Älskling, grannen har klättrat upp i en lyktstolpe. Jag undrar vad han har i kikaren egentligen.*

KIND

vända andra kinden till (to turn the other cheek) – to not seek revenge; to turn the other cheek: *Grannen sprängde min brevlåda på nyårsafton men jag tänker vända andra kinden till.*

💡 From the Bible (Matt. 5:38).

KLACK

slå klackarna i taket: tak →

KLAPPAT

klappat och klart (clapped and ready) – ready; all set: *Allt är klappat* *och klart inför resan till konventet.*

KLAR

vara klar över något (to be clear over sth.) – to understand; to recognize: *Ni måste vara klara över vad som står i kontraktet innan ni skriver under.*

KLASS

andra klassens (of second class) – poor quality; second-class: *Vi blev lovade surfplattor men fick andra klassens laptops.*

vara i en klass för sig (to be in a class for oneself) – to be the very best; to be in a league of one's own; to be in a class of one's own; to be a class act: *Tillverkaren av lyxbilar visar att deras fordon är i en klass för sig.*

KLAVER

trampa i klaveret (to step into the clavier) – (fig.) to unintentionally make a huge mistake: *Trots att han var van att intervjua kungafamiljen trampade han ständig i klaveret.*

KLIPPT

som klippt och skuren (like cut and cut) – right for sb./sth.: *Den här uppgiften är som klippt och skuren för dig.*

vara klippt (to be cut) – (coll.) to be a bad situation; to be bad; to be it: *Du käre lille snickerbo, nu är det klippt igen!*

KLIPP

göra ett klipp (to make a cut) – to make a good deal: *Jag gjorde världens klipp i fredags och köpte tre påsar räkor för priset av två.*

KLISTER

sitta i klistret (to sit in the glue) – (fig.) (coll.) to be in trouble; to be in a pickle: *Kan jag låna till hyran? Lönen har inte kommit än så jag sitter lite i klistret.*

KLO

med näbbar och klor: näbb →

KLOCKA

gå som en klocka (to go like a clock) – to function smoothly; to go like clockwork: *Han smorde in kedjan på cykeln med nytt fett och sedan gick cykeln som en klocka.*

KLUBBA

gå under klubban (to go under the club) – to be auctioned: *En av Elvis skinnjackor gick i helgen under klubban.*

KLÄDER

det finns inget dåligt väder, bara dåliga kläder: väder →

KNAKA

knaka i fogarna: fog →

KNALL

knall och fall (bang and fall) – sudden accident: *Premiärministern dog knall* *och fall under förhandlingarna.*

KNALLA

det knallar och går (it trots and walks) – (coll.) everything is alright: *Hur är läget? Jovars, det knallar och går.*

KNIV

inte vara den skarpaste kniven i lådan (to not be the sharpest knife in the drawer) – to be unintelligent/weird/mad: *Han var en glad och snäll prick men knappast den skarpaste kniven i lådan.*

lägga sig under kniven (to lay down under the knife) – (coll.) to have surgery; to go under the knife: *En annan måste ju lägga sig under kniven på torsdag för att bli av med den förgjordade blindtarmen.*

KNUT

gå bakom knuten (to walk behind the house corner) – (coll.) to go outside to urinate: *Vänta! Jag går bakom knuten innan vi lägger burgarna på grillen.*

brinna i knutarna (to be a fire in the house corners) – to be too little time: *Nu brinner det i knutarna och regeringen måste fatta ett snabbt beslut.*

KNYTA

knyta näven i fickan: näve →

KNÄ

gå på knäna (to walk on the knees) – 1. (fig.) to be exhausted and overwhelmed with work; 2. (fig.) to be in a trying/exhausting situation (mainly business-wise): *Sjukvården går på knäna när pandemin rycker fram.*

trolla med knäna (to do magic with one's knees) – (coll.) to achieve something seemingly impossible: *Familjen måste trolla med knäna för att kunna åka på semester i år.*

KO

ha sin egen ko i diket (to have one's own cow in the ditch) – (finl.) to act in one's own interest: *Branschen beskylls för att vara lobbyister och ha sin egen ko i diket.*

ingen ko på isen [så länge rumpan/stjärten är i land] (no cow on the ice [as long as the behind is on land]) – there is no immediate danger: *Ta det lugnt! Det är ingen ko på isen.*

KOL

blåsa på samma kol (to blow on the same coal) – (finl.) to cooperate; to work towards the same goal: *Finländska kommuner konkurrerar ofta i stället för att blåsa på samma kol.*

lägga på ett kol (to put on a coal) – to hurry up: *Lägg på ett kol nu annars kommer vi för sent!*

💡 This refers to when you had to use

coal for an engine to work faster.

KOLA

seg som kola (chewy like caramel) – very slow/rubbery/chewy/tough: *Något har hänt så internet är segt som kola.*

KONFEKT

bli lurad/snuvad/blåst på konfekten (to get cheated out of the candy) – to not receive sth. one is entitled to: *Fansen blev snuvade på konfekten när konserten ställdes in.*

KONKARONG

hela konkarongen (the whole conquérant) – everything; the whole shebang: *Den otippade vinnaren av Melodifestivalen åkte till Eurovision Song Contest och vann hela konkarongen.*

💡 Konkarong is really a conquérant – a kind of women's hat.

KONST

vara en konst (to be an art) – to be difficult (mainly negated): *Att dricka mjölk är väl ingen konst!*

KORG

få korgen (to get the basket) – to get one's marriage proposal rejected: *Han friade till henne men fick korgen. Hon var bara intresserad av att gifta sig rikt.*

KORK

styv i korken (stiff in the cork) – confident and haughty: *Framgångarna gjorde honom styv i korken och osympatisk.*

KORN

även en blind höna kan finna/hitta ett korn: höna →

KORS

kors i taket (cross in the ceiling) – an exclamation of happy surprise: *Är du redan klar med dina läxor? Kors i taket!*

kors och tvärs (cross and across) – in all directions; left and right: *Nu verkar det som att det delas ut körkort kors och tvärs.*

krypa till korset (to crawl to the cross) – to yield: *Presidenten fick krypa till korset och medge att förslaget inte fungerade så bra i praktiken.*

KORT

spela sina kort rätt (to play one's cards right) – to be tactical: *Om du spelar dina kort rätt kanske du blir president en dag.*

lägga korten på bordet (to put the cards on the table) – (fig.) to reveal the truth about sth.; to put one's cards on the table: *Regeringen måste lägga korten på bordet för att få folkets fortsatta förtroende.*

komma till korta med något (to come short with sth.) – to fail sth.; to not be up for sth.; to not have enough skill at sth.; to fall short of sth.; to come up short for sth.: *Studenterna gillade Sverige för när de kom till korta med svenskan kunde de lätt byta till engelska.*

kort och gott (short and good) – in short; in a nutshell; simply put: *Ni undrar säkert varför jag skrek innan. Kort och gott så har jag ett problem med trånga utrymmen. Det är allt.*

KORVSPAD

klart som korvspad (clear as sausage broth) – obvious; clear as day: *Det var ju klart som korvspad vad som hade hänt.*

KOS

sin kos (one's journey) – away: *Fjärilen flög sin kos.*

KOSA

styra kosan (to steer the journey) – to head: *Vikingarna styrde kosan mot Lindisfarne.*

💡 *Kosa* (journey) is basically only used in this expression in contemporary Swedish. It also exists in the variant *kos* (away). These words are probably related to course.

KOSTA

kosta vad det kosta vill (cost what it will cost) – no matter the cost: *Vi ska hålla i OS kosta vad det kosta vill.*

KOVÄNDNING

göra en kovändning (to make a cow turn) – to completely change one's standpoint: *Partiet gjorde en kovändning i kärnkraftsfrågan.*

💡 The word *kovändning* originates as a term in sailing where the stern is turned against the wind.

KRAGE

ta sig i kragen (to take oneself in the collar) – (fig.) to pull oneself together: *Efter att ha sörjt skilsmässan i 4 månader tog han sig äntligen i kragen och gick ut.*

KRETI

kreti och pleti (Cherethites and Pele-thites) – whoever; common people: *Vi kan ju inte låta kreti och pleti komma in här. Det här är en exklusiv klubb.*

💡 Another expression taken from the Bible (2 Sam. 8:18) referring to two ethnicities.

KRITA

när det kommer till kritan (when it comes to the chalk) – when it comes down to it: *Det diskuteras och diskuteras men när det väl kommer till kritan måste man finna en lösning.*

The chalk in this expression refers to a tavern's chalk used to record the guests' debt. In the end it would come down *to the chalk* when their debt was due.

KRONA

kronan på verket (the crown on the work) – the highlight; the cherry on top; the icing on the cake: *Frihetsgudinnan blev verkligen kronan på verket på en lyckad USA-resa.*

KRUT

lägga krut på något (to put powder on sth.) – to focus one's energy on sth.: *När man öppnade restaurangen lade man allt krut marknadsföring och lite för lite på själva maten.*

ont krut förgås inte så lätt (evil powder does not perish easily) – bad things are difficult to get rid off: *När mannen fick sitt andra cancerbesked tog han det med ro och sa att ont krut inte förgås så lätt.*

It is not unusual for Swedes to borrow and misinterpret German idioms. Here *ont krut* (evil powder) is a poor translation of *Unkraut* (weed). With this knowledge, the idiom makes more sense.

spara på krutet (save on the powder) – to save one's energy; to hold back; to spare expense: *När man fyller 65 finns det ingen anledning att spara på krutet.*

KRÅKA

elda för kråkorna (to make a fire for the crows) – to heat to no use: *Man måste värma upp huset effektivt utan att elda för kråkorna.*

KRÅKSÅNG

det fina i kråksången (the beautiful in the crow song) – the point; what is so special about this: *Och det fina i kråksången är att det här kan användas till allt möjligt.*

KRÅS

smörja kråset (to grease the intestines) – to overindulge in good food: *På Italienresan ska vi verkligen smörja kråset och äta gott.*

Krås is an archaic word which refers to the edible intestines of animals.

KULA

börja på ny kula (to begin on new marble) – to make a fresh start: *Eftersom jag just förlorat jobbet så tänkte jag börja på ny kula, flytta och kanske börja plugga igen.*

The *marble* in the translation should actually be a wooden bowl used for bets in a card game. When beginning a new game, the players began a new bowl.

KUNG

för kung och fosterland (for king and motherland) – with all one's energy: *När konserten började lida mot sitt slut tog kören i för kung och fosterland.*

KUPP

på kuppen (on the coup) – in the process: *Han räddade sin bror ur det brinnande huset och dog på kuppen.*

KVARN

få vatten på sin kvarn (to get water on one's mill) – to receive further arguments to support one's standpoint: *Skeptikerna fick vatten på sin kvarn.*

först till kvarn [får först mala] (first to the mill [gets to mill first]) – first come, first served: *Det finns bara ett begränsat antal biljetter, så det är först till kvarn som gäller.*

KVIST

komma på grön kvist (to end up at a green twig) – to become financially well off: *Genom goda investeringar lyckades Lundabon komma på grön kvist och gå i pension redan som 35-åring.*

KYRKRÅTTA

fattig som en kyrkråtta (poor like a church rat) – very poor: *Dagen innan löning kände han sig fattig som en kyrkråtta.*

KÄPP

sätta käppar i hjulet (to put canes in the wheel) – (fig.) to obstruct; to put a spoke in sb.'s wheel: *Miljöpartiet satte käppar i hjulet för det nya kärnkraftsförslaget.*

KÅLSUPARE

vara lika goda kålsupare (to be similarly good cabbage soup eaters) – (neg.) to be just the same as one another: *Riksdagspartier som bara försöker göra varandra till åtlöje är lika goda kålsupare allihop.*

KÄFT

håll käften (hold the jaw) – (crude) be quiet; shut up: *Hon tror hon vet allt men hon ska bara hålla käften!*

rapp i käften (quick in the jaw) – (coll.) witty; quick at repartee: *Kollegan skämtade på hennes bekostnad men rapp i käften som hon var kunde hon snabbt slå tillbaka.*

KÄNGA

ge någon en känga (to give sb. a boot) – (fig.) to reprimand/criticize sb.: *Under intervjun gav oppositionen en känga till statsministern.*

KÖTT

ha kött på benen (to have meat on the bones) – (fig.) to be well prepared: *Det är viktigt att ha kött på benen när* *man ska på jobbintervju.*

anden är villig men köttet är svagt: ande →

KÖP

till på köpet (to on the purchase) – in addition; furthermore; even: *Sverige tog medalj i skidskytte. Guld till på köpet.*

KÖRA

köra över någon (to drive over sb.) – 1. to run sb. over; 2. (fig.) to walk over sb.; to ride roughshod: *Alla tyckte att hennes förslag var bäst men chefen körde som vanligt över henne och valde ett annat förslag.*

vara kört (to be driven) – (coll.) to be a bad situation; to be bad; to be it; to be over: *Det är kört. Någon har fått reda på vad vi håller på med och ringt snuten.*

L

LAG

nöden har/kräver ingen lag: nöd →

i minsta laget (in the smallest state) – rather low/small; on the low/small side: *Hon tyckte att lönen var lite i minsta laget.*

LAKAN

vit som ett lakan (white like a bed sheet) – very pale; white as a sheet: *Febern hade gjort henne vit som ett lakan. Hon fick färgen tillbaka efter att hon fått i sig lite soppa.*

LAND

land och rike runt: rike →

tusen sjöars land: sjö →

vårt avlånga land: avlång →

till lands (to land) – on land: *GPS fungerar lika bra till lands som till sjöss med uppdaterade kartor och sjökort.*

💡 *Till* used to take the genitive case, hence *land* being in the possessive form here.

LAPP

lapp på luckan: lucka →

LASS

dra det tyngsta lasset (to pull the heaviest load) – to do most of the work: *Hon var den som drog det tyngsta lasset på jobbet men en dag fick hon nog.*

LAST

ligga någon till last (to lie sb. to load) – to be a burden to sb.: *Han lät sin bror bo hos honom efter en svår skilsmässa men efter 3 månader började brodern ligga honom till last.*

LAX

en glad lax (a happy salmon) – a funny and relaxed person: *Borgmästaren i staden är en glad lax och omtyckt av invånarna.*

lägga lök på laxen (to put onions on the salmon) – to make sth. bad even worse: *Regeringskrisen kan lägga lök på laxen för en redan ansträngd börs.*

💡 The idiom has lately started to shift meanings to become kind of synonymous with **grädde på moset:** grädde →, due to the fact that people don't understand what's wrong with onions on salmon. One should beware of the context when being faced with this expression.

LEJON

modig som ett lejon (brave like a lion) – very brave: *Han tyckte att hans pappa var modigast i världen – modig som ett lejon.*

LEK

den som ger sig in i leken får leken tåla (the one who joins the game has to endure the game) – if one gets involved with sth. one has to accept the consequences; it is all part of the game: *Flickan började gråta när hon fick en snöboll i ansiktet men den som ger sig in i leken får leken tåla.*

LEVA

leva loppan: loppa →

den som lever får se (the one who lives will see) – it will become apparent over time; time will tell: *Det verkar som om nuvarande regering kommer bli omvald men den som lever får se.*

få veta att man lever (to get to know that one is alive) – to get a severe scolding: *När jag få tag i henne ska hon få veta att hon lever!*

LIDA

vill man vara fin får man lida pin: fin →

vad det lider (what it progresses) – eventually: *De lär sig nog av sina misstag vad det lider.*

LIGGA

som man bäddar får man ligga: bädda →

LIK

blek som ett lik (pale like a corpse) – very pale: *Chocken gjorde honom stum och blek som ett lik.*

gå över lik (to walk over corpses) – (fig.) to be particularly ruthless while pursuing one's goals: *Han skulle kunna gå över lik för att bli den bäste.*

LIMNING

gå upp i limningen (to go up in the gluing) – (fig.) to become very angry: *Pappa gick upp i limningen när han upptäckte att jag tagit hans whisky.*

LINA

löpa linan ut (to run the line out) – to go to the line of the possible/permitted; to take the leap: *Hon löpte linan ut i sin konst och tog nakenbilder i riksdagshuset.*

visa sig på styva linan (to show oneself on the stiff line) – to show off one's skills: *YouTuberna visade sig på styva linan och grundade filmbolag.*

LINDA

i sin linda (in its swaddle) – in its early stages: *Bygget är ännu i sin linda man när det är klart kommer stadion inhysa 60 000 åskådare.*

LIV

få sig något till livs (to get sth. for life) – to get sth. to eat and drink: *Mårten gick förbi kiosken på vägen till jobbet för att få sig något till livs.*

ett gott skratt förlänger livet: skratt →

för brinnande livet (for burning

life) – as much/quickly/with as much force as possible: *De sprang för brinnande livet för att hinna med flyget och tappade bort sin son.*

för glatta livet (for the smooth life) – as much/quickly/with as much force as possible: *Bagaren bakade bullar för glatta livet för att bli klar i tid.*

livet efter detta (the life after this) – afterlife: *Hon undrade om hon fortfarande skulle älska filmjölk med socker i livet efter detta.*

livet på en pinne (the life on a stick) – a good comfortable life: *Ack, det här är verkligen livet på en pinne!*

sätta livet till (to put the life to) – to die: *De som fick sätta livet till ska hedras på måndag under en tv-sänd ceremoni.*

ta livet av någon (to take the life of sb.) – to kill sb.; to take sb.'s life (also fig.): *Alltså, en dag kommer kunderna ta livet av mig. Jag blir tokig!*

LIST

ana argan list (to suspect angry trickery) – to suspect evil intentions: *Under förhöret började utredarna ana argan list. Den misstänkte försökte lura dem.*

LJUD

annat ljud i skällan (another sound in the cowbell) – a radical difference in manner/attitude: *Ingen var intresserad av att publicera min bok men efter att jag fick 500 000 prenumeranter på YouTube är det annat ljud i skällan.*

LJUS

gå upp ett ljus för någon (to go up a light for sb.) – sb. suddenly realizes/understands sth.: *Plötsligt gick det upp ett ljus för honom och han visste vad han skulle skriva till tjejen på dejtingappen.*

sitta som ett ljus (to sit like a candle) – to sit and be still; quiet and listen closely: *Barnen satt som ljus och lyssnade på läraren för de visste att de skulle få pepparkakor efter lektionen.*

föra någon bakom ljuset (to lead sb. behind the light) – to fool sb.: *När företaget gick i konkurs uppdagades det att de anställda hade blivit förda bakom ljuset.*

i ljusan låga: låga →

LOCK

lägga locket på (to put the lid on) – (fig.) to keep quiet about sth.: *Efter ministerns skandal valde statsministern först att lägga locket på.*

LOFT

ha tomtar på loftet: tomte →

LOPP

i (det) långa loppet (in the long run) – in the long run: *Det är inget vi kan hålla på med i långa loppet.*

inom loppet av (within the course of)

– within; within the course of: *Inom loppet av 5 minuter hade hundarna inte bara bitit sönder soffan utan även ätit upp all mat.*

LOPPA

leva loppan (to live the flea) – 1. to live one's best life; 2. to be rowdy: *De levde loppan och åkte på dyra resor till fjärran länder men det visade sig att de hade lurat till sig alla pengarna.*

LOSS

släppa loss (let loose) – (fig.) to let go of all inhibitions; to party; to let loose: *Nu är det lov så det är dags att släppa loss!*

LOTT

falla/komma på någons lott (to fall/come on sb.'s share) – to have responsibility bestowed upon sb.: *Som äldste sonen, föll det på honom att ta hand om det praktiska efter moderns död.*

LOVA

lova runt och hålla tunt (to promise around and keep thin) – to promise big but not being able to keep the promises: *Som vanligt lovar företagen runt och håller tunt när produkterna de säljer är av undermålig kvalitet.*

LUCKA

lapp på luckan (note on the counter) – (fig.) sold out: *Musikalturnén har varit en stor succé och det har blivit lapp på luckan i varje stad hittills.*

Lucka really means a small door or *hatch* and, in this case, refers to counters at theaters which are typically small booths with some kind of hatch or hole where money and theater tickets switch hands.

liv i luckan (life in the gap) – celebratory or rowdy atmosphere: *Vi trodde det skulle vara tomt på krogen men här var det visst liv i luckan!*

LUFT

flyga i luften (to fly in the air) – to explode: *Den brinnande husvagnen flög plötsligt i luften när gasoltuben antändes.*

gripa/ta något ur luften (to grab/take sth. out of the air) – (fig.) to make sth. up: *Hon anklagas för att ha förskingrat föreningskassan men hon hävdar att det är taget ur luften.*

ha många bollar i luften: boll →

slag/hugg i luften: slag →

LUGN

(i) lugn och ro (in calm and peace) – (in) peace; (in) peace and quiet: *Han fick bara vara i lugn och ro när han satt länge på toaletten.*

LURVIG

svänga sina lurviga (to turn one's shaggy) – to dance: *Det är helg och då ska man ut och svänga sina lurviga.*

💡 The *shaggy* in the expression is probably one's hairy legs.

LUS

läsa lusen av någon (to read the louse of sb.) – to scold sb.: *Läraren läste lusen av klassen för att eleverna busat och gått över gränsen.*

LUV

råka i luven på någon/varandra (to end up in the hair of sb./each other) – to end up in a fight with sb./each other: *Katten och musen råkar alltid i luven på varandra.*

💡 *Luv* is an archaic word which means *bangs*. The idiom thus tries to tell the tale of two angry people pulling each other's hair.

LYCKA

lyckans ost: ost →

LYCKLIG

skatta sig lycklig (to consider oneself lucky) – to be happy and fortunate; to consider oneself lucky: *Hon skattade sig lycklig att hon kom ut med livet i behåll.*

💡 The idiom has started to get misinterpreted as *skratta sig lycklig* (to laugh oneself happy) due to the fact that both *skatta* and *lycklig* seldom are used in contemporary Swedish with these meanings but rather used as *to pay taxes* (skatta) and *happy* (lycklig).

LYCKT

bakom lyckta dörrar: dörr →

LYRA

ha många strängar på sin lyra (to have many strings on one's lyre) – (fig.) to have many skills/talents; to have more than one string on one's bow: *Hon avgudade män med många strängar på sin lyra.*

LYSA

lysa/prunka med lånta fjädrar: fjäder →

LÅDA

hålla låda (to hold box) – to talk continuously: *I vanliga fall brukade flickan vara tyst och blyg men den här kvällen var det hon som höll låda.*

LÅGA

i ljusan låga (in bright flame) – in flames: *Man såg sommarstugan stå i ljusan låga på natten.*

💡 *Ljusan* is an archaic accusative form of *ljus* (bright) and has no function in contemporary Swedish.

eld och lågor: eld →

LÅNG

bli lång i ansiktet: ansikte →

få lång näsa: näsa →

LÅNGBÄNK

dra något i långbänk (to pull sth. in long bench) – to delay sth.: *Nato-frågan har dragits i långbänk länge nu.*

LÅNGSAM

skynda långsamt: skynda →

LÅNT

lysa med lånta fjädrar: fjäder →

LÅS

bakom lås och bom (behind lock and beam) – in prison; behind bars: *Blottaren som strök omkring här i somras är äntligen bakom lås och bom.*

hänga på låset (to hang on the lock) – to be first in line when a store or institution opens: *Kön till rean var för lång så vi får hänga på låset i morgon.*

LÄNGE

än så länge (yet so long) – so far: *Än så länge har vi inte stött på några problem.*

LÄPP

hänga läpp (to hang lip) – to be sad; to be in a bad mood; to be grumpy: *Att godiset är slut är ingenting att hänga läpp för.*

falla någon på läppen (to fall sb. on the lip) – to be liked by sb.: *Förslaget föll ledningen verkligen på läppen.*

vara på allas läppar (to be on everyone's lips) – to be a popular topic of conversation and gossip; to be on everyone's lips: *Skådespelarens nya unga fru var på allas läppar den veckan.*

LÄRD

därom tvista de lärde (scholars dispute about it) – the question or problem is difficult: *Är tidningarna fyllda med sanningar eller* fake news? *Därom tvista de lärde.*

LÄRKA

glad som en lärka (happy as a lark) – very happy: *"God morgon", sade hon glad som en lärka när hon kom ner till köket där vännerna satt.*

LÄST

bli vid sin läst (to remain at one's shoe fitting) – to never try anything new; to keep to an assigned task: *Influencers borde bli vid sin läst och inte leka hobbypolitiker.*

LÖK

lägga lök på laxen: lax →

LÖPA

löpa linan ut: lina →

LÖPELD

sprida sig som en löpeld (to spread like wildfire) – to spread very quickly: *Ryktena om kändisens död spred sig som en löpeld på sociala medier.*

LÖV

tunn som ett löv (thin like a leaf) – very thin: *Lövbiff kallas så för att skivorna är tunna som löv.*

💡 Beside this expression, there is also the adjective *lövtunn* with the same meaning.

MAGE

ha mage (to have stomach) – to be audacious: *Att min kollega har mage att kritisera mig när han själv inte är särskilt duktig!*

ha fjärilar i magen: fjäril →

ha is i magen: is →

MAK

i sakta mak (in slow movement) – at a leisurely pace: *Kortegen åkte i sakta mak genom staden.*

💡 *Mak* is a word only used in a handful expressions meaning some kind of movement.

MAKA

kaka söker maka: kaka →

MAKE

se på maken (to look at the like) – to see something similar to once before: *Jag har aldrig sett på maken till dåligt uppförande!*

vara med om maken (to experience the like) – to experience something similar to once before (mainly negated): *Jag har aldrig varit med om maken.*

💡 *Make* may seem like it should mean *husband* but in these set phrases it means *counterpart;* cognate with English *match.*

MAN

gemene man (common man) – the average citizen: *Artificiell intelligens har börjat göras tillgänglig för gemene man.*

till mans (to man) – almost everyone; to a man (often with the addition *lite*): *Hungriga var de lite till mans efter en hel dag i skidspåret.*

💡 *Till* used to take the genitive case, hence *man* being in the possessive form here.

MANKE

lägga manken till (to put forth the withers) – to make an effort: *Polishästarna får lägga manken till under statsbesöket.*

MANNA

falla/komma som manna från himlen (to fall/come like manna from the sky) – to come unexpectedly; to be like manna from heaven: *Man kan inte förvänta sig att tur kommer som manna från himlen.*

💡 *Manna* is a biblical and unidentified edible substance that God provides the Israelites during their 40-year long journey through the desert. It is also mentioned in the

Quran where truffles are claimed to be a part of the manna.

MANTEL

axla någons mantel (to shoulder sb.'s cloak) – (fig.) to continue sb.'s work: *En ny påve har valts och han ska nu axla sin föregångares mantel.*

💡 This expression is based on the story in 2 Kings 2:13 from the Bible where the disciple Elisha picks up the cloak of the prophet Elijah and continues his work.

MASK

hålla masken (to hold the mask) – (fig.) to keep a straight face: *Det är svårt att hålla masken när du är så klantig.*

MASKIN

för full maskin (for full engine) – 1. (about an engine/a machine/a device) at full speed; at maximum power; 2. (fig.) intensely; at full steam: *Nyhetsredaktionen jobbade för full maskin för att få ut den stora nyheten för konkurrenterna.*

MASKOPI

vara i maskopi med någon (to be in collusion with sb.) – to collude: *Pojkvännen är i maskopi med hennes föräldrar för att organisera en överraskningsfest.*

MAT

låta maten tysta mun (to let the food quiet the mouth) – to remain quiet while eating (mainly said to children): *Sluta prata medan vi äter! Då kan man sätta i halsen. Nu låter vi maten tysta mun.*

MATTA

dra/rycka undan mattan för någon (to pull away the rug for sb.) – (fig.) to suddenly make sth. more difficult for sb.; to pull the rug from under sb.: *Den nya EU-lagen drar undan mattan för småföretagare.*

hålla sig på mattan (to hold oneself on the rug) – (fig.) to behave; to restrain oneself: *Barnvakten var orolig för att barnen skulle vara vilda men de höll sig på mattan hela kvällen.*

MATS

ta sin Mats ur skolan (to take one's Mats out of school) – to withdraw from a difficult situation: *Armén lyckades ta sin Mats ur skolan utan förluster och dra sig tillbaka.*

💡 The name Mats used to be synonymous to *someone stupid* and it is probably this meaning that we have here in this expression.

MEDHÅRS

stryka någon medhårs (to stroke sb. with the fur) – to flatter sb.: *Ibland måste länder stryka andra länder* *medhårs för att få sin vilja igenom. Det är världspolitik, det.*

MEDVIND

ha medvind (to have tailwind) – to have luck and success: *Fotbollslaget har haft stark medvind i turneringen och vunnit 4 av 4 matcher.*

MEN

efter mycket om och men: om →

MER

vad mer är (what more is) – furthermore: *Han vägrar att lyssna på mina idéer och vad mer är: han säger åt mig vad jag ska göra som någon slags chef!*

MIN

hålla god min (to hold good look) – to not show that sth. is wrong: *Hon hade just förlorat sin man men höll god min på jobbet.*

MINA

gå på en mina (to step on a mine) – (fig.) to get in trouble: *Om man inte tänker på vad man säger kan man lätt gå på en mina. Ibland är det bättre att hålla tyst.*

MINNE

dra sig till minnes (to pull oneself to memory) – to recall: *Hon drog sig till minnes att hon hade en gammal kikare någonstans på vinden.*

💡 *Till* used to take the genitive case, hence *minne* receiving the possessive -s suffix.

lägga på minnet (to put on the memory) – to memorize; to remember: *Jag ska försöka lägga portkoden på minnet så att du slipper komma ner och öppna fler gånger.*

MJÖL

ha rent mjöl i påsen (to have clean flour in the bag) – (fig.) to have nth. to hide: *Vissa tycker att bara man har rent mjöl i påsen kan man acceptera mer övervakning i samhället.*

MJÖLK

gråta över spilld mjölk (to cry over spilled milk) – (fig.) to dwell on misfortunes that have already happened: *Det är ingen idé att gråta över spilld mjölk utan det är bättre att vi ser över våra rutiner så detta inte händer igen.*

MOD

med berått mod (with purposeful courage) – (neg.) on purpose (mainly criminal acts): *Tonåringarna ska ha torterat korna med berått mod.*

MODERSMJÖLK

insupa något med modersmjölken (to imbibe sth. with the mother's milk) – to acquire knowledge or interests during childhood: *Kärleken till* *musiken insöp den folkkära artisten redan med modersmjölken.*

MOL

mol allena: allena →

MOMANG

i sista momangen (in the last moment) – finally; about time; at the last moment: *Ambulansen stötte på ett nerfallet träd men lyckades komma fram i sista momangen.*

på momangen (on the moment) – immediately: *Säg bara vad du behöver så fixar vi det på momangen.*

MORGONSTUND

morgonstund har guld i mund (morning moment has gold in mouth) – proverb meaning the one who gets up early in the morning can achieve more; the early bird gets the worm: *Många kollar gärna på film långt in på natten och sover sedan länge men morgonstund har guld i mund. Vill man få mycket gjort så gäller det att sova ordentligt och gå upp tidigt.*

💡 Mund is an archaic spelling of *mun* (mouth). Without it, the proverb would not rhyme.

MOSSE

ana ugglor i mossen: uggla →

MUGG

för fulla muggar (for full cups) – intensely: *Här festas det för fulla muggar ser jag.*

💡 Mugg in this particular expression refers to the toilet tanks on a boat and not drinking cups. The word is even used in general Swedish as a slang word for toilet.

MUN

håll mun (hold mouth) – (coll.) be quiet; shut up: *Men kan du bara hålla mun? Det skulle ju vara en hemlis.*

tala bredvid mun (to speak beside mouth) – to reveal a secret: *Det skulle bli en överraskning men hon råkade tala bredvid mun.*

dra på munnen (to pull on the mouth) – to smile: *Kvinnan var på dåligt humör men drog på munnen när hennes pojkvän gjorde grimaser.*

ta bladet från munnen: blad →

vara född med silversked i munnen: silversked →

MUNKAVEL/MUNKAVLE

sätta munkavel/munkavle på någon (to put a gag on sb.) – (fig.) to silence sb.: *Premiärministern hade satt munkavel på sina ministrar så att de inte skulle kommentera skandalen.*

MUR

tiga som muren (to keep silent like the wall) – to not say anything: *Jag frågade vad som hade hänt men barnen teg som muren. Jag är säker på* *att något gått sönder.*

MUS

tyst som en mus (quiet like a mouse) – very quiet: *Tyst som en mus smög hon genom köket för att äta upp de sista kakorna.*

MUST

ta/suga musten ur någon (to take the juice out of sb.) – to make sb. mentally and physically tired and unmotivated: *Hans forskarlag hade genomfört så många misslyckade tester att det tagit musten ur honom.*

MYCKET

i mångt och mycket (in many and much) – almost; very much; to a large extent; in many ways: *Styrelsen var i mångt och mycket enig men det var en fråga som splittrade ledamöterna.*

MYGG

skjuta mygg med kanon (to shoot mosquitos with canons) – to overreact; to exaggerate: *Så fort något händer på jobbet så ska cheferna skjuta mygg med kanon och införa massa förbud på grund av en enda anställds handlingar.*

MYNT

betala med samma mynt (to pay with the same coin) – to seek revenge: *Efter bombningen av byn betalade den andra sidan med samma mynt.*

slå mynt av något (to hit coin of sth.) – to take advantage of sth.: *De som blankar aktier slår mynt av börsras.*

MYRA

flitig som en myra (diligent like an ant) – very diligent: *Hon kände sig flitig som en myra den här dagen, efter att ha städat huset, handlat, skrivit en uppsats och ringt sin mamma.*

ha myror i byxorna/brallorna/brallan (ants in the pants) – (coll.) to be unable to be still: *Så fort vi ska på restaurang får barnen myror i byxorna.*

sätta myror i huvudet på någon (to put ants in the head on sb.) – to give sb. a lot to think about: *Årets riksdagsval har satt myror i huvudet på väljarna.*

MÅLA

måla fan på väggen: vägg →

måla in sig i ett hörn: hörn →

MÅLSNÖRE

falla/snubbla på målsnöret (to fall/trip on the finish tape) – (fig.) to fail just before one reaches one's goal: *Det är dags att ta det försiktigt så att vi inte snubblar på målsnöret.*

MÅN

i den mån (to that extent) – insofar: *Jag lovar att hjälpa dig i den mån det går men jag kan inte lova något.*

i viss mån (to a certain extent) – to a certain extent: *I viss mån är det bra* *att det regnar i dag för då kan vi ha det mysigt i soffan.*

MÅTT

måttet är rågat (the measuring cup is brimful) – (fig.) it is enough: *När han läste det vulgära ordet i tidningen var måttet rågat och han skrev en arg insändare.*

MÄNSKLIG

det är mänskligt att fela: fela →

MÄSSING

i bara mässingen (in just the brass) – naked: *På somrarna var det så varmt att vi barn fick springa runt i bara mässingen.*

MÖRT

pigg som en mört (lively like a roach) – very lively, alert, and awake: *Han är alltid pigg som en mört när han kommer till jobbet. Ingen förstår hur han kan vara så pigg!*

MÖSSA

yr i mössan: yr →

N

NACKE

flåsa någon i nacken (to breathe down sb.'s neck) – 1. (fig.) to be about to catch up with sb.; 2. (fig.) to stress sb.: *Det är lätt att känna att alla flåsar en i nacken även om det här inte är någon tävling.*

NAFS

i ett nafs (in a nibble) – quickly; in a flash: *Hon bad sin kollega om hjälp som löste problemet i ett nafs.*

NAGEL

vara en nagel i ögat (to be a nail in the eye) – (fig.) to be annoying: *Miljörörelsen är en nagel i ögat på oljebolagen.*

The expression has its origin in the Bible (4 Mos. 33:55) where, however, the talk is of thorns rather than nails. The use of the word *nagel* (fingernail) in the Swedish idiom makes little sense today but is probably taken from a medieval German translation of the Bible (the Koberg Bible from 1483). The German *Nagel* translates into both *fingernail* and a sharp and pointy nail. This is however also the case for Old Swedish which makes it a possibility that, since the word used in the Latin version is *clavus* (nail), when priests talked about this verse prior to the publication of the Swedish translation (1541), they had to translate it themselves, using *nagel* as their preferred word.

The modern Swedish word for *nail* is *spik* and because of this disconnect between modern and old Swedish, there is now the alternate version *vara en vagel i ögat* (to be a sty in the eye).

NAMN

kärt barn har många namn: barn →

NATTMÖSSA

prata i nattmössan (to talk in the nightcap) – (fig.) to talk nonesense: *Jag lyssnade på tv-debatten och det lät som om alla partiledare pratade i nattmössan. Det var lögn och tomma löften alltihop.*

NEMAS

nemas problemas: problemas →

NER

upp och ner: upp →

NERV

gå någon på nerverna (to go sb. on the nerves) – (fig.) to irritate sb.; to get on sb.'s nerves: *Det ständiga pendlandet till jobbet började gå henne på nerverna.*

NOT

vara med på noterna (to be included on the notes) – to understand; to be let in on sth.; to participate: *Alla var med på noterna inför överraskningsfesten.*

NYPA

ta något med en nypa salt: salt →

NYS

få nys om något (to get sneeze about sth.) – to find out sth.; to get wind of sth.: *Hon ville inte att kollegorna skulle få nys om hennes extraknäck.*

NÅL

sitta som på nålar (to sit like on needles) – to be impatient; eager and excited: *Hela publiken satt som på nålar när vinnaren skulle förkunnas.*

NÄBB

med näbbar och klor (with beaks and claws) – by all means necessary: *Aktivisterna kämpade med näbbar och klor för att förhindra att byn revs.*

NÄR

så när som på (so near as on) – except: *Puben var tom så när som på fyra gubbar som drack öl och pratade med bartendern.*

NÄSA

få lång näsa (to get a long nose) – (fig.) to get fooled: *Polisen fick lång näsa när tjuvarna försvann.*

dit näsan pekar (where to the nose points) – straight ahead; without destination: *Hon sade upp sig från jobbet. Nu tänker hon resa dit näsan pekar.*

dragen vid näsan (pulled by the nose) – (fig.) fooled: *Hon skulle köpa en begagnad mobiltelefon men blev dragen vid näsan.*

ha skinn på näsan: skinn →

lägga näsan i blöt (to wet the nose) – to be nosy: *Min faster kan inte låta bli att lägga näsan i blöt. Hon älskar att skvallra om andra i släkten.*

pudra näsan (to powder the nose) – to go to the toilet; to reapply makeup; to powder one's nose (mainly about women): *Hon passade på att ringa en taxi när hon var och pudrade näsan.*

NÄVE

knyta näven i fickan (to make a fist in the pocket) – (fig.) to not show one's anger publicly: *I affären trängde sig en äldre man i kön och i stället för att skälla ut honom knöt jag näven i fickan och höll tyst.*

spotta i nävarna (to spit in one's fists) – (fig.) to prepare to do some work: *Han hade inte råd att anlita någon att renovera affären så han spottade i nävarna och tog tag i det själv.*

NÖD

med nöd och näppe (with necessity and tightness) – barely: *Hon klarade sig med nöd och näppe.*

💡 Näppe is a word basically only found in this expression and also the adverb *näppeligen* (probably not).

nöden har/kräver ingen lag (the necessity has/demands no law) – there is always a way to obtain what one needs if the need is great enough; necessity knows no law: *Det finns ingen toalett här i skogen men nöden har ingen lag.*

NÖDD

nödd och tvungen (to be forced and forced) – forced (regarding the circumstances): *Jag ser mig helt enkelt nödd och tvungen till att relegera dig från skolan.*

NÖT

få på nöten (to get on the nut) – to get a beating: *Han frågade om han fick bjuda på en drink men fick direkt på nöten av hennes pojkvän.*

NÖTKÄRNA

frisk som en nötkärna (healthy like a nut kernel) – very healthy (as in not ill): *Han hade sjukskrivit sig och fått bidrag i miljonbelopp men var i själva verket frisk som en nötkärna.*

NÖTSKAL

i ett nötskal (in a nutshell) – in essence; on brand; in a nutshell (mainly about individual people or things and not situations): *– Jag såg honom sitta med en bok igen. – Det ante mig! Det är han i ett nötskal.*

OGRÄS

växa som ogräs (to grow like weed) – to grow very fast and uncontrolled; to grow like a weed: *Min söta lilla valp växer som ogräs. Han väger redan 20 kg!*

OLLE

mota Olle i grind (to stop Olle at the gate) – to put an end to sth. before it goes too far: *Aktivisterna ville mota Olle i grind med sin protest.*

💡 *Olle* is an archaic name for a bull.

OM

efter mycket om och men (after much if and but) – finally after much effort; after great length: *Efter mycket om och men fick vi ändå som vi ville.*

OMKRING

när allt kommer omkring: allt →

OMVÄXLING

för omväxlings skull (for change's sake) – for a change: *Kan vi inte semestra i Grekland för omväxlings skull?*

ONT

ha ont i håret: hår →

intet ont anande (nth. bad sensing) – unsuspecting: *Musen var intet ont anande när fällan slog igen.*

ont krut förgås inte så lätt: krut →

ORD

ord och inga visor (words and no songs) – direct words; hard truths: *På mötet fick assistenten nog och uttryckte sitt missnöje för chefen. Där var det ord och inga visor.*

väga sina ord på guldvåg: guldvåg →

ha ordet (to have the word) – to have permission to speak in a meeting: *Talmannen är den som först har ordet i riksdagen.*

innan man visste ordet av (before one knew the word) – quickly; before one knew it: *Innan vi visste ordet hade älgen sprungit bort.*

ta/komma till orda (to take/come to the word) – to begin to speak: *Plötsligt tog hövdingen till orda och gav ordern att gästerna skulle avrättas.*

sanna mina ord (true my words) – trust me; mark my words: *Om ni inte aktar er kommer trollen och tar er. Sanna mina ord.*

inte skräda orden (to not remove anything from the words) – to speak frankly/directly: *Han är känd kritiker och känd för att inte skräda orden.*

💡 *Skräda* is an archaic verb meaning *to remove unwanted parts*. Compare *avskräde* (garbage) or *skräddare* (tailor).

ORÅD

ana oråd (to suspect mischief) – to become suspicious; to suspect mischief; to smell a rat: *Vakten anade oråd när kundens påse verkade tyngre än varorna han betalat för.*

OSALIG

som en osalig ande: ande →

OST

få betalt för gammal ost (to get paid for old cheese) – to be subjected to revenge: *Nu ska du få betalt för gammal ost, din elaking.*

ge igen för gammal ost (to give back for old cheese) – to revenge: *Jag mötte en gammal mobbare och kunde ge igen för gammal ost.*

lyckans ost (cheese of the fortune) – a lucky person: *Å, fick du tag på biljetter till konserten? Din lyckans ost!*

> Sometimes seen in the wild as its own compound word: *lyckost* (fortune cheese).

OXE

lat som en oxe (lazy like an ox) – very lazy: *På söndagar vill han aldrig hänga med ut och göra någonting utan bara vara hemma och vara lat som en oxe.*

> There is also the compound *latoxe* with the same meaning.

stark som en oxe (strong like an ox) – very strong and durable: *Vaktmästaren var en tystlåten man men pålitlig och stark som en oxe.*

P

P

sätta P för något (to put P for sth.) – to stop sth.: *EU sätter P för snuset.*

PACK

pick och pack (staff and luggage) – (coll.) belongings: *Jag vill aldrig se dig mera! Ta ditt pick och pack och försvinn!*

💡 *Pick* is an archaic word meaning *staff* or *cane*. *Pack* is also an old word meaning *luggage* or *package*.

PANG

pang på rödbetan: rödbeta →

PALL

stå pall (to stand stool) – to endure sth.: *Utrikesministern stod pall för kritiken och lovade att ta tag i problemet i stället för att avgå.*

💡 The common Swede will instantly think of stools when hearing the word *pall* but in this expression it is a nautical term that refers to some kind of brake.

PANNKAKA

bli pannkaka (to become pancake) – (fig.) (coll.) to fail: *Pappa försökte lägga nytt tag på garaget men det blev pannkaka av alltihop.*

marsch pannkaka (march pancake) – (coll.) said to children when they should move along and do as they were told: *Så nu barn får ni gå och borsta tänderna. Marsch pannkaka!*

gå upp som en sol och ner som en pannkaka: sol →

platt som en pannkaka (flat like a pancake) – very flat: *Nordtyskland är platt som en pannkaka.*

PAPPER

inte vara värt papperet/pappret det är skrivet på: värd →

på papperet/pappret (on the paper) – in theory; on paper: *Tittar man på hans sociala medier så är han på pappret tydligen bäst på allt.*

PASS

komma väl till pass (to come well to fit) – to come in handy: *Den här tejprullen kommer att komma väl till pass. Silvertejp är din bästa vän.*

så pass (so fit) – 1. so; such (emph.); 2. an exclamation of surprise: *Han är så pass trött att han somnade bums.*

PATRULL

stöta på patrull (to bump into patrol) – to encounter an obstacle/resistance: *Varje gång man får en banbrytande idé stöter man på patrull bland de konservativa.*

PENGAR

få valuta för pengarna (to get currency for the money) – to get value for one's money; to get bang for the buck: *Jag var på ett fantastiskt hotell i Österrike. Där fick man verkligen valuta för pengarna.*

se ut som om man sålt smöret och tappat pengarna: smör →

PEPPAR

peppar, peppar [ta i trä] (pepper, pepper [touch wood]) – expresses hope for luck to continue; knock on wood: *Vi hade många kunder i somras. Hoppas det håller i sig. Peppar, peppar, ta i trä.*

dra dit pepparn växer (to move where the pepper grows) – (coll.) to go away; to get lost: *Försvinn! Dra dit pepparn växer, din dumskalle!*

PEST

välja mellan pest och kolera (to choose between plague and cholera) – to choose between two bad options; to be between a rock and a hard place: *Att välja mellan att sommarjobba eller gå i sommarskola är som att välja mellan pest och kolera!*

PIANO

ta det piano (to take it piano) – (coll.) to take it easy: *Ta det piano nu och ha inte så bråttom. Var sak har sin tid.*

💡 Although most people might think of the instrument, the word *piano* is actually Italian meaning *slowly* or *quietly*.

PICK

pick och pack: pack →

PIK

förstå/fatta piken (to understand the point) – to take the hint: *Han sparkade mig lätt på benet och jag förstod piken direkt och lämnade de två ensamma för en stund.*

💡 Pik, from French *pique* (point).

PIL

snabb som en pil (quick like an arrow) – very fast (about movement): *Hunden hade hört sin matte komma hem och försvann ut ur rummet, snabb som en pil, för att hälsa på henne.*

PIN

vill man vara fin får man lida pin: fin →

PINNE

stel som en pinne (stiff like a stick) – very stiff: *Han var stel som en pinne när han försökte följa salsalärarens anvisningar.*

trilla av pinnen (to fall from the stick) – (coll.) to die: *Tänk att få trilla av pinnen välklädd, mätt och med en god dryck i hand.*

PIPA

gå åt pipan (to go towards the pipe) – to fail completely: *Jag gjorde allt för* *att hon skulle gilla mig men det gick åt pipan.*

PIPSVÄNG

dra/fara åt pipsvängen (to go towards the pipe turn) – (coll.) to go away; to get lost: *Far åt pipsvängen, din elaking!*

💡 The idiom was coined by Astrid Lindgren in her book "Ronja the Robber's Daughter".

gå åt pipsvängen (to go towards the pipe turn) – to fail completely: *Hela projektet gick åt pipsvängen.*

💡 As you can see, the word *pipsvängen* can generally be used as a more childish euphemism for hell and is used in the same expressions as it and its other euphemisms (see: **dra/fara åt helvete →, dra åt skogen →, gå åt skogen →**)

PLATS

vara på sin plats (to be in its place) – to be in order; to be appropriate: *En förklaring kanske vore på sin plats. Tycker ni inte det?*

PLETI

kreti och pleti: kreti →

PLUS

plus i kanten (plus in the margins) – 1. praise for sth. small; 2. advantage: *Stockholm får plus i kanten för att det är en så pass ren stad. Dit vill jag åka igen!*

plus minus noll (plus minus zero) – nothing; (break) even: *Efter den dåliga affären får vi vara glada om vi går plus minus noll.*

PLÅSTER

som plåster på såret/såren (as a bandage on the wound/wounds) – as a consolation: *Hon blev uppsagd men fick en guldklocka värd 250 000 kr som plåster på såren.*

PLÄTT

lätt som en plätt (easy like a small pancake) – very easy; a piece of cake: *Han var glad att hans pappa tyckte läxan var lätt som en plätt och kunde hjälpa honom med den.*

POMPA

med pompa och ståt (with pomp and circumstance) – (fig.) with a formal ceremony of grandeur; with pomp and circumstance; with much fanfare: *Det renoverade kommunhuset invigdes med pompa och ståt.*

POST

komma som ett brev på posten: brev →

POTATIS

en het potatis (a hot potato) – (fig.) a sensitive matter: *Frågan om att göra Sverige till republik är en het potatis* *som inget parti vågar ta upp.*

sätta sin sista potatis (to plant one's last potato) – (fig.) to be excluded due to bad behavior; to blow one's last chance; one blew it: *Nu har ministern satt sin sista potatis och statsministern har bett honom att lämna in sin avskedsansökan.*

PRICK

pricken över i:et (the dot above the i) – sth. to make sth. good even better; the cherry on top; icing on the cake: *Och som pricken över i:et i outfiten rekommenderar vi en av våra hattar.*

på pricken (on the spot) – exactly: *Bröderna liknar varandra på pricken.*

till punkt och pricka: prick →

PRINS

må som en prins i en bagarbod: bagarbod →

PRIS

till varje pris (to every price) – no matter the cost: *Regeringen vill ha ett Nato-medlemskap till varje pris.*

PROBLEMAS

nemas problemas (no problem) – (coll.) no problem: *Vi löser det. Nemas problemas!*

💡 Most likely a Serbo-Croatian borrowing with added Spanish plural endings, either as a joke or due to confusion.

PROPP

bränna propparna (to burn the fuses) – (finl.) (fig.) (coll.) to become very angry; to blow a fuse: *Han bränner ständigt sina proppar på kunderna.*

PUCK

lugna puckar (calm pucks) – under control; calm; nth. to worry about: *Det är lugna puckar. Du behöver inte oroa dig. Jag ordnar allt!*

PUDEL

göra en pudel (to make a poodle) – (fig.) to publicly appologize: *Politikern gjorde en pudel för sitt uttalande.*

PUDRA

pudra näsan: näsa →

PUKA

med pukor och trumpeter (with kettledrums and trumpets) – (fig.) with a formal ceremony of grandeur; with pomp and circumstance; with much fanfare: *Den nya budgeten presenterades med pukor och trumpeter.*

PULS

känna någon på pulsen/ta pulsen på någon (to feel sb.'s pulse/to take the pulse on sb.) – 1. to feel sb.'s pulse; 2. (fig.) to examine sb.'s character; to grill sb.: *I debattprogrammet kände programledaren partiledarna på pulsen.*

PUNKT

sätta punkt för något (to put period for sth.) – to end/stop sth.: *Vi sätter punkt här tycker jag och går på lunch.*

till punkt och pricka (to point and dot) – in minute detail: *Hon hade gått igenom avtalet till punkt och pricka men kunde inte hitta någon utväg.*

💡 *Pricka* is only used in this expression. The common word for *dot* or *spot* is *prick*.

träffa en öm punkt (to hit a tender spot) – (fig.) to evoke a strong negative reaction in sb.; to touch a sore spot: *Jag vet att jag träffade en öm punkt men jag står för det jag sagt.*

PÅSE

ha rent mjöl i påsen: mjöl →

slå sina påsar ihop (to hit their bags together) – to cooperate; to get married; to move in together: *De båda företagen slog sina påsar ihop för att skapa den ultimata produkten.*

PÄLS

få på pälsen (to get on the fur) – to get a beating/scolding: *Regeringen fick på pälsen för det nya lagförslaget.*

PÄRLA

kasta pärlor för/åt svin (to throw pearls to swine) – (fig.) to waste sth./one's energy on sb. who do not understand nor appreciate it; to cast pearls before swine: *Vissa förtjänar inte fina parker och rena gator eftersom de bara skräpar ner och förstör. Det är som att kasta pärlor åt svin.*

💡 Based on yet another Bible quote (Matt. 7:6).

PÖ

pö om pö (peu by peu) – little by little: *Arbetet med den här ordboken framskrider pö om pö.*

💡 The idiom is of course based on the French *peu à peu*.

R

RABARBER

lägga rabarber på något (to lay rhubarb on sth.) – to take/seize sth.: *Svenskarna på arbetsplatsen glodde storögt när hon lade rabarber på den sista bullen.*

RAD

läsa mellan raderna (to read between the lines) – to understand meanings subtly or not directly expressed; (fig.) to read between the lines: *När man jobbar med svenskar så är det viktigt att kunna läsa mellan raderna.*

RAK

raka spåret: spår →

RAM

tänka utanför ramarna (to think outside the frames) – to come up with unconventional ideas; to think outside the box: *Vi söker en projektledare som tänker utanför ramarna.*

💡 In recent years, people have started to say *tänka utanför boxen* due to the influence of English.

suga på ramarna (to suck on the bear paws) – to live frugal: *Nu när inflationen skjuter i höjden är det en bra idé att suga på ramarna.*

💡 The *ramar* in this expression have nothing to do with frames. It's a homonym that refers to the bear's paws. It was believed that the bear kept alive during the winter by sucking on its paws, hence the expression.

RAND

ränderna går aldrig ur (the stripes never come off) – some people never change; a leopard never changes his spots; a tiger never changes his stripes: *Min farbror är så himla trångsynt hur man än argumenterar men jag antar att ränderna aldrig går ur.*

REFRÄNG

tänka på refrängen (to think about the chorus) – to go home: *Den här middagen var jättetrevlig men nu måste vi tyvärr tänka på refrängen. Vi ska upp tidigt i morgon.*

REGEL

i regel (in rule) – generally; usually; by and large: *Hon åt i regel inte smörgåstårta men i dag var en dag hon sket i allt.*

efter konstens alla regler (after the art's all rules) – skillful: *Han byggde IKEA-möbler efter konstens alla regler.*

REGNA

låtsas som det regnar (to pretend like it is raining) – to act like nth. has happened: *Hennes hund bajsade på grannens tomt men hon låtsades bara som det regnade.*

REGN

regnet står som spön i backen (the rain is standing like rods in the ground) – to rain heavily; to rain cats and dogs: *Familjen hade planerat en picknick men regnet stod som spön i backen.*

REM

lägga på en rem (to put on a belt) – to hurry up: *Mötet börjar om fem minuter så lägg på en rem nu.*

REN

göra rent hus (med något): hus →

rent ut sagt: sagt →

RIKE

land och rike runt (country and kingdom around) – around the country: *Teatersällskapet reser land och rike runt i sommar för att turnera med sin kritikerrosade pjäs.*

RIM

rim och reson (rhyme and reason) – sense; rhyme and reason (mainly negated): *Det existerar ingen som helst rim och reson på sociala medier.*

RINGA

inte det/den ringaste (not the slightest) – not in the least; not one iota; not the slightest: *– Har du någon aning om vad som hänt? – Inte den ringaste.*

RO

i godan ro (in good calm) – stress-free; calmly: *Nu är det helg och då tänker jag stänga av mobilen och läsa en bok i godan ro.*

i lugn och ro (in calmness and calmness) – stress-free; calmly; in peace and quiet: *Hon läste i lugn och ro när bebisen plötsligt började skrika.*

i lugnan ro (in calmness calmness) – stress-free; calmly: *Han satt och byggde med klossar i lugnan ro när brandvarnaren gick igång.*

ROCK

kort i rocken (short in the coat) – (coll.) very short (about people): *Är du för kort i rocken för att åka bergochdalbana?*

ROLIG

det blir inte roligare än så här (it is not going to get more fun than this) – said to express the need to accept a situation for what it is: *Matchen är snart slut och det ser inte ut att bli mycket roligare än så här.*

ROLL

spela roll (to play a role) – to matter (often negated): *Det spelar ingen roll om det regnar eller om det är soligt. Vi måste hugga ved i dag i varje fall.*

ROS

vara en dans på rosor: dans →

RUBB

rubb och stubb (stubble and stubble) – (coll.) everything; the whole shebang: *När morfar dog så skänkte vi rubb och stubb till olika loppmarknader.*

💡 *Rubb* in the definite form, *rubbet*, is also common with the same meaning: *Vi sålde rubbet.*

RULLE

full rulle (full roll) – high speed; very good atmosphere; busy: *Det är full rulle på jobbet den här veckan.*

💡 *Rulle* refers to the throttle on a motorcycle which is a "roll" or cylinder that you turn.

RUM

i främsta rummet (in the leading room) – top priority: *På vårt spa sätter vi ditt välbefinnande i främsta rummet.*

RUNDA

runda av (to round off) – to slowly begin to end; (fig.) to wrap up: *Kan du runda av telefonsamtalet så att vi kan gå ut någon gång?*

RUSSIN

plocka russinen ur kakan (to pick the raisins out of the cake) – (fig.) to seek out the best from a range of options; to cherry-pick: *Storbritannien trodde att de skulle kunna plocka russinen ur kakan när de gick ur EU.*

💡 Since many people actually dislike raisins, some confusion has started to arise lately whether this means *to pick out the best* or *to remove the bad from sth.*

RUTER

ha ruter i sig (to have diamonds in oneself) – (coll.) to be quick, determined, and courageous: *Det är ruter i den tjejen. Henne kör man inte över i första taget.*

💡 *Ruter* is the name of the suit diamonds in a deck of cards. The common word for *diamond* in Swedish is *diamant.*

RYCK

få ett ryck (to get a twitch) – to suddenly become inspired; to get a whim; to get a wild hair: *Min son har fått ett ryck och börjat lära sig allt om bofinkar.*

RYCKA

rycka på axlarna: axel →

RYGG

hålla någon om ryggen (to hold sb. around the back) – to protect/support sb.; to have sb.'s back: *Startupen var som en familj och grundarna såg till att hålla sina medarbetare om ryggen varje gång de behövde hjälp.*

lägga benen på ryggen: ben →

RÅD

nu är goda råd dyra (now good advices are expensive) – something has gone very wrong and one has to act quickly: *Nu är goda råd dyra! Taket har börjat läcka och det mycket.*

RÅTTA

när katten är borta dansar råttorna på bordet: katt →

RÄKMACKA

glida in på en räkmacka (to slide in on a prawn sandwich) – (fig.) (coll.) to not have to work to end up in a certain position/situation; to get everything served on a silver platter: *Jag kom till filminspelningen som statist men regissören gillade min stil och gav mig en större roll. Så jag gled in i filmbranchen på en räkmacka.*

Macka is slang for smörgås (sandwich).

I would die for a *räkmacka* right now. They are soooo delicious [this is the author's own opinion which, however, everyone should share].

RÄKNING

för egen räkning (for one's own account) – on one's own behalf: *Jultomten behöll även en liten sak för egen räkning.*

göra upp räkningen (to settle the bill) – to take revenge; to settle: *Det är viktigt att man gör upp räkningen med sitt förflutna innan man kan blicka framåt.*

RÄLS

gå som på räls (to go like on rails) – to run smoothly; to work like a charm: *Renoveringen av sommarstugan gick som på räls tills man stötte på fukt i en vägg.*

RÄTT

komma till sin rätt (to come to one's right) – to be made justice; to come into one's own: *Tavlan kommer verkligen till sin rätt i det här ljuset.*

RÄV

ha en räv bakom örat (to have a fox behind the ear) – (fig.) to be cunning and untrustworthy: *Bilhandlare är kända för att ha en räv bakom örat.*

sova räv (to sleep fox) – to pretend to be sleeping: *När pojken hörde att mamma och pappa skulle komma in och väcka honom på hans födelsedag så drog han täcket över huvudet och sov räv.*

This idiom also exists as its own compound verb *rävsova*.

surt, sa räven [om rönnbären] (sour, the fox said about the rowanberry) – said to sb. who wants sth. and cannot have it but acts like it is nth.: – *Jag* *vann inte på lotteriet, men det fanns bara fula priser. – Ja, ja. Surt, sa räven.*

💡 The expression is a reference to "The fox and the grapes" by Greek fabulist Aesop.

RÖDBETA

pang på rödbetan (bang on the beetroot) – to get straight down to it: *Du kanske är van vid mycket snack och lite verkstad men här är det pang på rödbetan som gäller!*

💡 Apparently the original meaning of the expression meant to have intercourse without foreplay. *Rödbeta* (beetroot) would then be slang for *vagina* but according to another theory it is a misinterpretation of Polish *robata* (work).

RÖK

gå upp i rök (to go up in smoke) – (fig.) to vanish: *Var är min plånbok. Det är som om den gått upp i rök!*

inte se röken av någon/något (to not see the smoke of sb./sth.) – to not see a trace of sb./sth.; to not see hide nor hair of sb./sth.: *Det är löning i dag men jag har inte sett röken av några pengar.*

RÖTT

inte ha ett rött öre: öre →

S

SAGT

rent ut sagt (cleanly out said) – frankly; downright: *Det är rent ut sagt förjävligt att de tänker riva det gamla anrika huset från 1600-talet och bygga ett parkeringshus.*

SANN

det var så sant [som det var sagt] (it was so true [as it was said]) – speaking of which; by the way: *Just det, det var så sant som det var sagt, har du hämtat ut smokingen från kemtvätten?*

SAK

gå rakt på sak (to go straight to the thing) – to get straight to the point: *Hon slösar ingen tid utan gick rakt på sak och frågade om jag ville följa med.*

göra slag i saken: slag →

saken är biff (the matter is steak) – (coll.) the matter has been settled: *Jag ska prata med pappa om att gå till stranden så ska du se att saken är biff.*

💡 The *biff* in this expression doesn't really mean *steak* but is actually the abbreviation *bif.* – *bifalles* (granted). This originates from soldiers' leave applications which would have been marked with this abbreviation.

SAKTA

sakta i backarna: backe →

SALT

ta något med en nypa salt (to take sth. with a pinch of salt) – (fig.) to not take sth. literally; to not believe sth. without skepticism; to take sth. with a grain of salt: *En snubbe på kontoret älskar att överdriva och man måste ta precis allt han säger med en nypa salt.*

SALU

till salu (for sale) – for sale: *Det finns tre sommarstugor till salu i området.*

💡 Like several expressions in this book, *till* demands the following noun to be in the possessive case. *Salu* (an old genitive form of the archaic *sala*) is used in some compounds and expressions and is not commonly used in everyday Swedish.

SCHACK

hålla i schack (to keep in check) – to keep under control; to keep calm; to keep in check; to hold back: *Det var uppenbart att kollegan försökte förolämpa honom men han höll sig i schack.*

SE

den som lever får se: leva →

ser man på (looks one at) – expression of surprise: *Ser man på! Här har man öppnat en ny affär.*

SED

ta seden dit man kommer (to take the custom whereto one comes) – to embrace the customs of a place where one has gone to; when in Rome [do as the Romans]: *Hon hade aldrig ätit så mycket kött och bröd som när hon åkte till Tyskland men man får ju ta seden dit man kommer.*

SEGERHUVA

vara född med segerhuva (to be born with victory hood) – to generally have lots of luck: *Han är alltid på rätt plats vid rätt tidpunkt och måste vara född med segerhuva.*

The word segerhuva does literally mean *victory hood* but refers to the remaining bit of the caul which might still be on top of a newborn's head like a hood.

SI

lite si och så: så →

si så där: där →

SIDA

vakna på fel sida (to wake up on the wrong side) – (fig.) to be irritated for no reason; to get up on the wrong side of bed: *Kollegorna ansåg att hon måste ha vaknat på fel sida och lämnade henne i fred.*

ha ett horn i sidan till någon: horn →

slå hål i sidan: hål →

SIKTE

ur sikte (out of sight) – out of sight: *Han gick snabbt ur sikte när han såg att kamerorna plockades fram.*

SILL

april, april [din dumma sill] [jag kan lura dig vart jag vill]: april →

SILVER

tala är silver, tiga är guld (to speak is silver to remain silent is gold) – it's often better to remain silent than to speak one's mind; speech is silver, silence is golden: *Mamman var inte särskilt förtjust i sonens val av livsbana men hon insåg att tala är silver, tiga är guld.*

SILVERSKED

vara född med silversked i munnen (to be born with silver spoon in the mouth) – to be born with an advantage/privileged upbringing/rich; to be born with a silver spoon in one's mouth: *Även om adeln inte har någon politisk makt i det moderna Sverige så är den ändå född med silversked i munnen.*

SINOM

i sinom tid: tid →

SJU

se ut som sju svåra år (to look like seven hard years) – to look repulsive: *När man är så här bakis känns det som att man ser ut som sju svåra år. Hur ska jag kunna visa mig ute i dag?*

ha sju stugor fulla: stuga →

SJUA

slå en sjua (to hit a seven) – (coll.) to urinate: *Grabbarna drack så mycket att de ständigt var tvungna att slå en sjua.*

SJUTTON

full i sjutton (full in seventeen) – (coll.) playfully cheeky and mischievous: *Farfar är vanligtvis ingen lekfull man men i dag var han särskilt full i sjutton.*

SJÄL

som balsam för själen: balsam →

SJÄLV

det säger sig själv/självt (it says itself) – of course; obviously: *Det säger sig ju självt att man inte bara kan springa runt naken i någon annans hus.*

SJÖ

kasta yxan i sjön: yxa →

sitta i sjön (to sit in the lake) – (coll.) to be in trouble; to be in a pickle (mainly negated): *Man får vara glad att man inte sitter i sjön ekonomiskt.*

till sjöss (to sea) – at sea: *Pappa gick till sjöss och kom aldrig mer tillbaka. Jag har inte sett honom sedan jag var sju år.*

💡 *Till* used to take the genitive case, hence *sjö* being in the possessive form here. The variant with two s is used exclusively in expressions.

tusen sjöars land (land of thousand lakes) – Finland: *Från Stockholm kan man ta finlandsbåten till tusen sjöars land.*

SKAFT

ha huvudet på skaft: huvud →

SKAM

skam den som ger sig (shame to the one who gives up) – expresses that one should not give up: *Han kuggade uppkörningen tre gånger men skam den som ger sig.*

SKATTA

skatta sig lycklig: lycklig →

SKED

ta skeden i vacker hand (to take the spoon in beautiful hand) – (fig.) to behave by complying: *På grund av den nya budgeten måste vi ta skeden i vacker hand och omorganisera.*

SKEN

skenet bedrar (the light is deceptive) – said when sth. might not be what it seems to; appearances can be deceiving: *Vid första anblick verkade* *det vara en bra affär men skenet bedrar.*

SKEPP

bränna sina skepp (to burn one's ships) – (fig.) to act in such a way that there is no point of return; to burn one's boats; to burn one's bridges: *Man kan säga att så som han betedde sig mot våra kunder så brände han sina skepp och sin framtid i företaget.*

SKINN

ha skinn på näsan (to have skin on the nose) – (fig.) to be determined and confident (mainly about women): *Det är trevligt att se unga kvinnliga entrepenörer med skinn på näsan.*

rädda sitt eget skinn (to save one's own skin) – to save oneself: *I stället för att erkänna sina misstag försökte han rädda sitt eget skinn genom att skylla på andra.*

hålla sig i skinnet (to hold oneself in the skin) – to restrain oneself: *En förälder på min dotters skola provocerar mig så fruktansvärt mycket men hittills har jag lyckats hålla mig i skinnet.*

man ska inte sälja skinnet förrän björnen är skjuten (one shall not sell the skin before the bear is shot) – one should not be too rash; do not count your chickens before they hatch: *Artisten skröt på Instagram inför prisutdelningen men man ska inte sälja skinnet förrän björnen är skjuten sägs det. Det blev ingen vinst.*

SKIT

sitta i skiten (to sit in the shit) – (fig.) (coll.) to be in major trouble; to be in deep shit: *Eftersom ingen bryr sig om klimatet sitter vi i skiten allihop.*

SKITA

skita i det blå skåpet: skåp →

SKJUTA

nära skjuter ingen hare: hare →

SKO

veta var skon klämmer (to know where the shoe squeezes) – to know what the problem is: *Han hade problem med surfplattan men visste snabbt var skon klämde.*

sko sig på någon/något (to shoe oneself on sb./sth.) – to take advantage of sb./sth.: *De som skickar ut så kallade phishing-mejl försöker sko sig på andras oaktsamhet och okunnighet.*

SKOG

till skogs (to the forest) – into the forest: *Jag skrämde bort älgen från trädgården och han sprang till skogs.*

> *Till* used to take the genitive case, hence *skog* being in the possessive form here.

dra åt skogen (to move towards the forest) – (coll.) to go away; to get lost:

Hon bad mig dra åt skogen så nu måste jag leta efter någonstans att bo.

hellre/bättre en fågel i handen än tio i skogen: fågel →

gå åt skogen (to go towards the forest) – to fail completely: *Jag skulle förhandla om högre lön men det gick åt skogen.*

inte se skogen för alla/bara träd (to not see the forest for all/only trees) – to only focus on details and miss the big picture in the process; to not see the forest for the trees: *Det är viktigt att kolla på hela branscher när man investerar i aktier och inte bara titta på ett företags historiska aktiekurs. Annars är det lätt att man inte ser skogen för alla träd.*

SKOLA

livets hårda skola (the life's tough school) – lessons learned from painful experiences; life's lessons; the school of hard knocks: *Man kan inte lära sig att leva i grundskolan. Det gör man i livets hårda skola.*

ta sin Mats ur skolan: Mats →

SKOTT

komma till skott (to come to shoot) – to get to the point; to get down to action: *Som nyårslöfte ska jag sluta skjuta upp saker och äntligen komma till skott.*

SKORPA

vad gäspar skorpan? (what does the biscuit yawn?) – (reg., Stockholm) what time is it?: *Det börjar kännas tomt i kistan. Vad gäspar egentligen skorpan?*

SKRAMLA

tomma tunnor skramlar mest: tunna →

SKRATT

ett gott skratt förlänger livet (a good laugh prolongs the life) – a proverb telling us that it is healthy to laugh; laughter is the best medicine: *På vintern är det lätt att bli deprimerad. Varför inte titta på en komedifilm? Ordspråket säger ju att ett gott skratt förlänger livet.*

SKRATTA

skratta sig lycklig: lycklig →

skrattar bäst som skrattar sist (laughs best who laughs last) – said when sb. succeeds/wins despite not being believed in/being laughed at for pursuing sth.; to have the last laugh: *När kompisgänget var på Ibiza tillsammans skrattade de åt mig för att jag inte drack. Men skrattar bäst som skrattar sist. Nu ligger de helt utslagna på hotellet.*

SKRIDA

skrida till verket: verk →

SKRIVA

det kan du skriva upp (you can write that down) – expression of guarantee;

you bet: *När jag blir president ska jag avskaffa måndagar. Det kan du skriva upp!*

SKROT

av samma skrot och korn (of the same scrap and grain) – the same (bad) kind; cut from the same cloth: *Pappan och sonen är av samma skrot och korn.*

SKRUV

ha en skruv lös (to have a screw loose) – (fig.) (coll.) to be crazy; to have a screw loose: *Min farbror samlar på brevlådor. Han måste ha en skruv lös.*

ta skruv (to take screw) – to be effective; to do the trick: *Affärsidén tog skruv och nu äger han flest kiosker i staden.*

SKRÄDA

inte skräda orden: ord →

SKULL

för en gångs skull: gång →

för guds skull: gud →

för omväxlings skull: omväxling →

för syns skull: syn →

SKURET

som klippt och skuren/skuret: klippt →

SKY

i högan sky (in high sky) – very loudly; at the top of one's lungs: *Hon skrek i högan sky när hon såg elräkningen.*

höja till skyarna (to raise to the skies) – to praise: *Hans chef höjde honom till skyarna när ägarna kom på besök.*

SKYLLA

skylla sig själv (to blame oneself) – to suit oneself: *Skyll dig själv!*

SKYMUNDAN

hamna i skymundan (to end up in obscurity) – to get overlooked; to get forgotten; to fall into the background: *Hon kände att hon kom lite i skymundan när hennes bror kom på tal.*

SKYNDA

skynda långsamt (to hurry slowly) – to not rush; to take it easy; more haste, less speed: *Alla vill ha en lösning på problemet men det är en komplex situation och således är det bäst att skynda långsamt innan man tar några beslut.*

Ultimately from Latin *festina lente.*

SKÅL

mellan skål och vägg (between bowl and wall) – among friends (where one can speak freely): *De riktiga besluten tas inte på officiella möten utan senare mellan skål och vägg.*

SKÅP

skita i det blå skåpet (to shit in the blue cupboard) – (fig.) (coll.) to make a huge mistake: *När han glömde* *hennes födelsedag och lät henne vänta ensam utanför restaurangen så sket han ordentligt i det blå skåpet.*

SKÄGG

fastna med skägget i brevlådan (to get the beard stuck in the mailbox) – (fig.) to be in a difficult situation: *Kändisen har fastnat med skägget i brevlådan efter att ha smygfilmats med minderåriga på krogen.*

tvista/strida om påvens skägg (to fight about the beard of the pope) – to fight about sth. that cannot be solved/that does not matter: *Agnostiker har förstått att bråka om religion är som att tvista om påvens skägg.*

SKÄLLA

annat ljud i skällan: ljud →

SKÄMT

skämt åsido (joke aside) – (all) jokes aside: *Men du, skämt åsido, hur mår du egentligen?*

SLAG

göra slag i saken (to make a hit in the thing) – to quickly decide something: *Han räckte fram handen till försäljaren för att göra slag i saken.*

slag/hugg i luften (punch/stab in the air) – a pointless act: *De nya reglerna är inte mer än ett slag i luften. De är lätta att gå runt.*

SLANT

för hela slanten (for the whole coin) – exclusively; all the way: *På den nystartade radiokanalen blir det hårdrock för hela slanten.*

SLEV

få en släng av sleven (to get a throw of the ladle) – to receive a portion of sth. negative (sometimes without being the actual target): *När cheferna bestämmer något som allmänheten ogillar så är det oftast de stackars anställda som får en släng av sleven.*

SLIPSTEN

veta hur en slipsten ska dras (to know how a grindstone is supposed to be pulled) – (fig.) to know how to do sth.: *Om det är någon som vet hur en slipsten ska dras så är det min man.*

SLITA

slit den med hälsan: hälsa →

SLOTT

vad är en bal på slottet: bal →

SLÄNG

i runda slängar (in round throws) – approximately: *Jorden är i runda slängar 4,6 miljarder år.*

SMORT

gå som smort (to go like greased) – to run smoothly; to work like a charm: *Det går ju som smort det här! Vi har inte haft en enda försening i schemat.*

SMÅLAND

inte för allt smör i Småland (not for all the butter in Småland) – not even at a very high price; not for anything in the world: *Hon tänkte inte missa festen för allt smör i Småland.*

SMÄCK

sitta som en smäck (to sit like a cap) – (coll.) to fit perfectly (also fig. about other things that are satisfactory): *Hennes nya jeans sitter som en smäck.*

SMÄLL

på smällen (on the bang) – (coll.) pregnant; knocked up: *Det gick vilt till på firmafesten. Minst två blev på smällen.*

SMÖR

gå åt som smör [i solsken/på heta stenar] (to be consumed/disappear like butter [in sunshine/on hot stones]) – to quickly run out of stock; to fly off the shelves: *Den nya actionsfiguren går åt som smör i solsken.*

💡 The addition *på heta stenar* (on hot stones) is considered a *finlandism*.

inte för allt smör i Småland: Småland →

se ut som om man sålt smöret och tappat pengarna (to look like one has sold the butter and lost the money) – to look pessimistic: *Har det hänt något? Du ser ut som du sålt smöret och tappat pengarna.*

SNACK

mycket snack och lite verkstad (much talk and little workshop) – all talk; all hat, no cattle: *Min farbror påstod att han kunde hjälpa mig att bygga ett trädäck men det verkar bara vara mycket snack och lite verkstad.*

SNATTRA

håll snattran (hold the gaggle) – (coll.) be quiet; shut up: *Kan ni hålla snattran någon gång? Ni bara snackar skit om andra.*

SNED

titta snett på någon: titta →

SNUS

en pipa snus (a pipe of snuff) – (finl.) a trifle; nothing: *Våra problem är en pipa snus jämfört med hur människor har det annanstans.*

torr som snus (dry like snuff) – very dry: *Pizzan var tyvärr torr som snus. Var var osten?*

SNÖ

den snö som föll i fjol (the snow which fell last year) – old problems/disagreements; water under the bridge: *När partier kritiserar varandra talar de ofta som den snö som föll i fjol i stället för att fokusera på de problem som finns här och nu.*

det som göms i snö kommer upp i tö (what gets hidden in snow will turn up in thaw) – what's hidden will eventually come to light: *Det är dags för korrupta politiker att förstå att det som göms i snö kommer upp i tö.*

SOL

gå upp som en sol och ner som en pannkaka (to go up like a sun and down like a pancake) – to begin well and end badly: *Hans karriär gick upp som en sol och ner som en pannkaka. Man krävde för mycket av honom och han gick in i väggen.*

skina som solen i Karlstad (to shine like the sun in Karlstad) – to look very happy: *Hon sken som solen i Karlstad när hon kom till jobbet i morse. Hon är nog förälskad.*

även solen har sina fläckar (even the sun has its spots) – even those who seem perfect make mistakes or have bad traits; no rose without a thorn: *Sociala medier orsakar ångest bland unga som inte inser att även solen har sina fläckar.*

SORDIN

lägga sordin på något (to put a mute on sth.) – (fig.) to dampen sth.: *Den plötsliga nyheten lade sordin på firandet.*

SOVA

sova på saken (to sleep on the thing) – (fig.) to wait until the next day before making a final decision; to sleep on it: *Han ville så gärna ha en ny tv, men den var dyr så han bestämde sig att sova på saken.*

SPARA

den som spar, han har (the one who saves has) – said as a reminder to not be wasteful: *Lilla gumman, du vet väl att den som spar han har. Spara veckopengen så kan du köpa något riktigt fint sedan.*

SPARK

få sparken (to get the kick) – to lose one's job; to get fired; to get the boot: *Hon fick sparken för att hon hade tagit med sig pennor hem från jobbet.*

SPETS

driva/dra något till sin spets (to drive sth. to its peak) – to go as far as one can in a conflict: *I stället för att trappa ner situationen började polisen vifta med sina pickadoller och drev därmed situationen till sin spets.*

SPIK

slå huvudet på spiken (to hit the head on the nail) – to be absolutely correct; to hit the nail on the head: *När hon sa att vi behövde jazz i våra liv slog hon huvudet på spiken.*

SPILLO

gå till spillo (to go to waste) – to go to waste: *I skolan går mycket mat till spillo för att eleverna tar mer än de orkar äta.*

💡 You will most likely see the word *spillo* in this expression only. From Low German *to spilde* with the meaning *to destroy*. Related to English *to spill*.

SPOTTA

inte spotta i glaset: spotta →

spotta i nävarna: näve →

SPRING

ha spring i benen (to have running in the legs) – to not be able to sit still: *Det är vanligt för barn och marsvin att ha spring i benen.*

SPRÅK

ut med språket (out with the language) – say it!; (fig.) spit it out!: *Var det du som tog min klänning? Ut med språket!*

SPÅR

raka spåret (the straight track) – directly: *Det nya nattåget tar dig raka spåret till Hamburg.*

SPÖ

regnet står som spön i backen: regn →

STACK

dra sitt strå till stacken: strå →

STAPEL

gå av stapeln (to go off the stack) – (about an event) to take place; to be held; to begin: *Mästerskapet kommer gå av stapeln i juni.*

STARTGROP

ligga i startgroparna (to lie in the start pits) – to be about to begin: *Bygget av den nya tågstationen ligger i startgroparna.*

STEN

hård som sten (hard like stone) – very hard; rock hard: *Hon försökte baka bullar för första gången men de var hårda som stenar när hon tog ut dem ur ugnen.*

kasta sten i glashus: glashus →

sjunka som en sten (to sink like a stone) – to sink rapidly (also fig.): *Hjärtat skönk som en sten i bröstet när han såg att ytterdörren stod öppen.*

STICKA

sticka under stol med något: stol →

STICK

gå stick i stäv med något: stäv →

lämna någon i sticket (to leave sb. in the stab) – to abandon sb. in distress: *Om Finland attackeras igen får vi inte lämna dem i sticket! Finlands sak är vår!*

STJÄRTERUM

finns det hjärterum finns det stjärterum: hjärterum →

STOL

sticka under stol med något (to put under chair with sth.) – (fig.) to deny; to hide a fact (mainly negated): *Jag ska* *inte sticka under stol med att jag gillar kastratsång.*

falla/hamna mellan stolarna (to fall/end up between the chairs) – (fig.) to fall into oblivion due to being outside everyone's field of responsibility; to slip through the cracks: *Han fick vänta länge på hjälp eftersom hans ärende vid någon tidpunkt föll mellan stolarna.*

STORM

lugn i stormen (keep calm in the storm) – a request to not be too hasty; hold your horses: *När hon försökte ta en bulle sa mostern "lugn i stormen" för att ingen sagt varsågod än.*

ta någon med storm (to take sb. with storm) – to suddenly/unexpectedly impress sb.: *Den lille killen i talangtävlingen tog alla med storm med sin röst.*

som en storm i ett vattenglas (like a storm in a water glass) – said about small conflicts that are attributed a higher significance than they actually have: *Debatten om gurkor ska får vara böjda eller ej är verkligen som en storm i ett vattenglas.*

STRECK

dra ett streck över något (to draw a line over sth.) – (fig.) to forget and forgive sth.: *Han gjorde fel på jobbet men chefen tyckte att hans handledare bar yttersta skulden och bestämde att man skulle dra ett streck över det hela.*

som ett skitigt streck (like a dirty line) – (finl.) (fig.) (coll.) very fast: *Han sprang förbi som ett skitigt streck. Det var knappt att man hann reagera.*

STRIDSYXA

gräva ner stridsyxan (to bury the battleaxe) – (fig.) to make peace: *Efter att syskonen inte talat med varandra på tio år har de äntligen grävt ner stridsyxan.*

STRYK

ett kok stryk (a boiling ironing) – a good beating/whacking: *Akta dig så jag inte ger dig ett kok stryk, din jävel.*

STRÅ

dra sitt strå till stacken (to pull one's straw to the ant hill) – to contribute: *När festen var slut drog alla sitt strå till stacken och städade.*

ett strå vassare (one straw sharper) – slightly better: *Den här hamburgaren var riktigt bra men jag tycker faktiskt att dina burgare är ett strå vassare.*

dra det kortaste strået (to pull the shortest straw) – to lose; to have to do sth. unpleasant: *Vi hyrde en liten stuga på semestern med utedass men jag drog det kortaste strået och var tvungen att tömma det.*

dra det längsta strået (to pull the longest straw) – to win: *Sundsvall drog det längsta strået och får organisera nästa års turnering.*

lägga två strån i kors (to lay two straws in a cross) – to make minimal effort to achieve sth. (mainly negated): *Brorsan har nog aldrig någonsin lagt två strån i kors. Det har alltid varit jag som fått ta hand om allt.*

STRÄCK

i (ett) sträck (in (one) line) – uninterrupted (used without article with adverbials of time): *Hon sov 18 timmar i sträck efter studentskivan.*

STRÄNG

ha många strängar på sin lyra: lyra →

STUBB

rubb och stubb: rubb →

STUCKEN

hugget som stucket: hugga →

STUGA

ha sju stugor fulla (to have seven full cottages) – (finl.) to have lots to do; to have one's hands full: *Enligt hans kalender hade han sju stugor fulla men nu satt han bara på soffan och struntade i allt.*

STUND

någons/något sista stund är kommen (sb.'s/sth.'s last moment has come) – to die (also fig.): *Det anrika hotellets sista stund är kommen. Det ska nu rivas.*

STUP

stup i ett (a lot to one) – (neg.) all the time: *Mina barn blir sjuka stup i ett.*

stup i kvarten (a lot to the quarter) – (neg.) all the time: *Det ringer stup i kvarten och man får inte en lugn stund.*

The use of *stup* in this context is probably as an intensifier meaning *until one falls over.*

STYRA

styra och ställa (to control and adjust) – to decide; to arrange; to be bossy; to call the shots: *Han lät barnen styra och ställa som de ville med skoltidningen för att lära dem att ta ansvar.*

STÅ

stå och falla med någon/något (to stand and fall with sb./sth.) – for sb./sth. to be necessary for success; to stand and fall by sb./sth.: *Hela planen står och faller med om hon vill hjälpa oss eller inte.*

stå som fastnaglad: fastnaglad →

STÅND

sätta i stånd (to put in stand) – to put in order: *Det nygrundade flygbolaget planerar att sätta klassiska flygmaskiner i stånd.*

vara i stånd (till) (to be in stand (to)) – to be able; to be capable: *Hon var inte i stånd till att lämna sitt vittnesmål* *på grund av chocken.*

STÅPÄLS

få ståpäls (to get standing fur) – (coll.) to get goosebumps in excitement over sth. good: *När arian började fick hela publiken ståpäls.*

STÅT

med pompa och ståt: pompa →

STÄLLA

styra och ställa: styra →

STÄLLNING

hålla ställningarna (to keep one's position) – to take full control and responsibility while sb. is temporarily absent; to hold the fort: *Medan Håkan sprang i väg för att köpa mer korvbröd fick hans bror hålla ställningarna på grillfesten.*

STÄV

gå stick i stäv med något (to go stick in prow with sth.) – to go against an opinion/previous actions: *Lagförslaget går stick i stäv med vad regeringen lovat.*

💡 *Stäv* is a very specific nautical term for the extension of the keel on a ship but is also used to refer to the prow or the part of the prow that cuts the water. The idiom itself, however, is much more widespread in everyday Swedish.

STÖP

gå i stöpet (to go in the melt water) – to fail: *Hela projektet gick i stöpet för att man inte lyckades beställa delar i tid.*

💡 *Stöp* is an uncommon word that means *water of melted snow* and the expression essentially means that sth. gets washed away with that melted water.

SUCK

dra sin sista suck (to pull one's last sigh) – to die (also fig.): *Gammelmorfar viskade till mig var han hade gömt skatten innan han drog sin sista suck.*

SUS

i sus och dus (in whoosh and row) – in extravagance: *Efter lottovinsten levde hon i sus och dus.*

💡 *Sus* is the kind of soft noise the wind would make. *Dus* is an Old Swedish word only used in this expression today. It refers to a more loud chaotic noise.

göra susen (to make the whoosh) – to be exactly right to achieve a certain results; to do the trick: *Varm mjölk med honung gör susen mot ont i halsen.*

SVALA

en svala gör ingen sommar (one swallow makes no summer) – do not rely on a good situation remaining good; one swallow does not make a summer: *Laget har spelat bra och till och med vunnit gruppspelet men vi vet att en svala gör ingen sommar. Vi får avvakta och se.*

The expressions is attributed to the Greek philosopher Aristotle.

SVAR

ge svar på tal (to give answer to speech) – to give the kind of retort that will silence the other party: *Flickan lät sig inte skrämmas och gav direkt svar på tal.*

ställa någon till svars (to put sb. to answer) – to hold sb. accountable; to bring sb. to justice: *Internationella brottmålsdomstolen i Haag ställer personer till svars för folkmord och andra brott mot mänskliga rättigheter.*

Till used to take the genitive case, hence *svar* receiving the possessive -s suffix.

SVART

svart på vitt (black on white) – clearly; with clear evidence: *Domen visar svart på vitt att vissa kan komma undan med vad som helst.*

SVIN

kasta pärlor för/åt svin: pärla →

SVÅNGREM

dra åt svångremmen (to tighten the belt) – (fig.) to adjust to a worse economic situation: *Nu när inflationen är så hög så får man väl dra åt svångremmen för att ha råd.*

Svångrem is nowadays a rather uncommon word to refer to a belt that holds up a pair of pants. The words *bälte* or *skärp* are more common today.

SVÅR

se ut som sju svåra år: sju →

SVÄNGOM

ta sig en svängom (to take oneself a turn-about) – to dance (especially traditional couple dances): *Till och med 90-åriga gammelfarfar tog sig en svängom på bröllopet.*

SYL

få en syl i vädret (to get an awl in the weather) – to manage to get a word in; to get a word in edgewise (mainly negated): *När hon började babbla fick ingen annan en syl i vädret.*

SYLTBURK

med fingrarna i syltburken (with the fingers in the jam jar) – (fig.) (caught) in the act; red-handed; in flagrante: *Tjuven greps med fingrarna i syltburken när en polispatrull såg ljuset av hans ficklampa i affären.*

SYN

för syns skull (for sight's sake) – for the sake of appearances; for show: *Alltså, avspärrningarna är inte här för syns skull. Gå tillbaka.*

SYREN

mellan hägg och syren: hägg →

SÅ

lite si och så (a little so and so) – not completely good: *Det är lite si och så med skolan.*

Si is probably just a transformation of så.

si så där: där →

SÅLL

läcka som ett såll (to leak like a sieve) – to leak heavily (also fig.): *Det är ingen vits att berätta hemligheter för henne. Hon läcker alltid som ett såll.*

Såll is an archaic word for a sieve. In modern Swedish *sil* is more common.

SÅR

som plåster på såret/såren: plåster →

SÄCK

svart som i en säck (black like in a bag) – very dark: *Strömmen gick och med ens var allt svart som i en säck.*

knyta ihop säcken (to tie the bag together) – (fig.) to finish sth.: *Det är dags att knyta ihop säcken och runda av kvällen med lite skönsång.*

SÄGA

det vill säga (it wants to say) – that is; namely: *Ruotsi, det vill säga Sverige på finska.*

jag säger då det (I'm saying then it) – expresses an emotional reaction; well well well; I say: *Jag säger då det, det är inte lätt att umgås med den här familjen.*

SÄKER

ta det säkra för/före det osäkra (to take the certain for/before the uncertain) – to take no risks: *Vi skulle gå ut i skogen imorgon men det verkar som om det ska regna. Vi får nog ta det säkra för det osäkra och stanna inne i stället.*

Both the variant with *för* and the variant with *före* are established idioms and whether or not the literal meaning is *to also consider the certain options uncertain* or *to take the certain option before the uncertain*, the interpretation of the expression should be *to take the certain option instead of the uncertain option.*

SÄLL

skatta sig säll (to consider oneself lucky) – (arch.) to be happy and fortunate; to consider oneself lucky:

Han skattade sig säll som fick dö omgiven av vänner och familj.

SÄNG

gå till sängs (to go to bed) – to go to bed: *Han gick till sängs med ett leende på läpparna efter ett mycket lyckad födelsedagsfirande.*

💡 *Till* used to take the genitive case, hence *säng* receiving the possessive -s suffix.

SÄTT

på så sätt (on that manner) – thereby; in that way: *Donera och hjälp på så sätt bättre behövande.*

på sätt och vis (on manner and way) – kind of; to a certain extent: *Han är på sätt och vis en extrapappa åt henne.*

T

TACK

tack vare (may thanks be) – thanks to: *Tack vare det goda vädret blev evenemanget en succé.*

TAG

i första taget (in the first take) – in the first place; in a hurry: *Det är inget man glömmer i första taget.*

TA/TAGA

man tager vad man haver (one takes what one has) – said when using available means to achieve sth.: *Vi har ingen jäst men bakpulver går lika bra. Man tager vad man haver helt enkelt.*

💡 *Tager* and *haver* are dated ways of pronouncing and writing *tar* (takes) and *har* (has).

The expression is attributed to 18th century cookbook author Anna Christina Warg (known as Cajsa Warg). Although she apparently never wrote this.

TAK

högt i tak (high ceiling) – high tolerance (for less accepted opinions): *På vissa internetforum är det högt i tak och man kan i princip skriva vad som helst och finna bundsförvanter.*

gå i taket (to walk on the ceiling) – (fig.) to lose one's temper; to go nuts; to hit the ceiling: *Pappa gick i taket när han fick reda på vad vi gjort.*

slå klackarna i taket (to hit the heels in the ceiling) – (fig.) to party: *Ikväll ska vi ut och slå klackarna i taket!.*

kors i taket: kors →

TAL

komma på tal (to come on speech) – to get mentioned; to come up: *När Ryssland kom på tal blev det dålig stämning vid middagsbordet.*

på tal om (on speech about) – speaking of: *På tal om räkor: när ska vi äta middag?*

TAND

få blodad tand (to get a blooded tooth) – to be inspired to dedicate oneself to sth.: *Vi provade på yxkastning och fick blodad tand.*

beväpnad till tänderna: beväpna →

TASSLA

tissla och tassla: tissla →

TAVLA

vacker som en tavla (beautiful like a painting) – very beautiful: *Han hade aldrig tänkt på det förut men när han såg henne i den gula klänningen tyckte han att hon var vacker som en tavla.*

TID

barn av sin tid: barn →

i grevens tid: greve →

i rättan tid (in right time) – just in time: *Skatteåterbäringen kom just i rättan tid. Annars hade jag blivit hemlös.*

i sinom tid (in one's time) – in due time: *I sinom tid kommer alla få det som de förtjänar.*

💡 *Sinom* is an old dative form of *sin* (a reflexive possessive pronoun meaning one's/his/hers/its/theirs).

i tid och otid (in time and untime) – (neg.) all the time: *Barnen ska bara ha och ha i tid och otid.*

vara/bli hög tid (to be/become high time) – to be about time: *Det är hög tid för fika, tycker du inte?*

tids nog (time's enough) – eventually: *Tids nog kommer han att säga sanningen. Tro mig.*

gå ur tiden (to walk out of the time) – to die: *En av Sveriges största författare har gått ur tiden.*

tiden går fort när man har roligt (time goes by quickly when you're having fun) – said when sth. has come to an end: *Vi har haft en trevlig tid tillsammans men tiden går fort när man har roligt.*

tiden läker alla sår (time heals all wounds) – expresses that feelings of sadness or disappointment fade with time; time heals all wounds: *Hon hade blivit dumpad många gånger men tiden läker alla sår. I dag är hon singel och lycklig.*

vara på tiden (to be on time) – to almost be too late; to be about time: *Det var på tiden att vi bytte takpannor för flera var redan lösa.*

sedan urminnes tider: urminne →

alla tiders (of all times) – (coll.) excellent: *Den här köttfärssåsen är alla tiders!*

TILL

ta sig till (to take oneself to) – to do (in a critical situation): *Eleverna visste inte vad de skulle ta sig till när det började brinna i klassrummet.*

TILLBAKA

fram och tillbaka: fram →

TISSLA

tissla och tassla (to whisper and whisper) – to secretly whisper (often to speak negatively behind sb.'s back): *Det tisslades och tasslades om hennes lila klänning men de andra kvinnorna var nog bara avundsjuka.*

💡 Both *tissla* and *tassla* are onomatopoeia.

TITT

titt som/och tätt (time as/and dense) – often; every now and then: *Ungarna kommer på besök titt som tätt.*

💡 *Titt* comes from Old Swedish *tidher* (which often occurs), related to *tid* (time). Compare the dated word *tidender* (news).

TITTA

titta snett på någon (to look crookedly at sb.) – to look at sb. with suspicion or disdain; to look askance at sb.: *Tjejerna i klassen tittade snett på den nya.*

TJUR

ta tjuren vid hornen (to take the bull by its horns) – to deal with sth. difficult head on; to grab the bull by the horns: *Vi har skjutit på problemet med getingar länge nog nu och det är dags att ta tjuren vid hornen.*

TJÄNA

det tjänar ingenting till (it does not earn nth. to) – there is no point: *Det tjänar ingenting till att skrika i rymden.*

TOK

vara på tok (to be at crazy) – 1. to be awry; 2. used as an intensifier with *för* (too): *Han hörde ett ljud på nedervåningen och gick ner för att se vad som var på tok.*

TOM

tomma tunnor skramlar mest: tunna →

TOMTE

ha tomtar på loftet (to have gnomes on the loft) – to be unintelligent/weird/mad: *Hon känner en konstnär som verkar ha tomtar på loftet men är väldigt snäll och trevlig.*

TOPP

från topp till tå (from top to toe) – over the whole body; from head to toe: *Hon frös från topp till tå efter isbadet.*

TORR

ha sitt på det torra (to have one's on the dry) – to be financially stable; to be set for life: *Hon ärvde en förmögenhet från sin mormor och har sitt på det torra.*

i vått och torrt: våt →

TUMME

få tummen ur [arslet] (to get the thumb out of [the ass]) – to (finally) stop stalling and get to work: *Han kan aldrig få tummen ur och göra något vettigt.*

ha tummen mitt i handen (to have the thumb in the middle of the hand) – (fig.) to not be handy; to be all thumbs: *De båda bröderna har tummen mitt i handen och kan inte ens bygga ihop ett par Ikea-möbler.*

hålla tummarna (to hold the thumbs) – to cross one's fingers: *Hoppas du vinner ikväll. Vi ska hålla tummarna för dig.*

💡 The gesture is different from the one in the anglophone world. The thumbs are put inside their respective fist and literally held.

rulla tummarna (to roll the thumbs) – twiddle one's thumbs: *Han satt i tandläkarens väntrum och rullade tummarna.*

TUNGA

tala med kluven tunga (to speak with a split tongue) – to say one thing and do sth. completely different; to be dishonest; to speak with a forked tongue: *Det är vanligt att politiker talar med kluven tunga bara för att bli valda.*

bita sig i tungan (to bite oneself in the tongue) – (fig.) to keep a remark to oneself; to stop speaking in the middle of a remark: *När de kom in i rummet så var hon tvungen att bita sig i tungan så att de inte skulle höra vad hon tyckte om dem.*

ha något på tungan (to have sth. on the tongue) – (fig.) to know sth. but being unable to recall it completely right away; to be on the tip of one's tongue: *Det var något viktigt som jag skulle berätta. Jag har det på tungan men kommer inte ihåg exakt vad det var. Vänta lite.*

hålla tungan rätt i mun (to hold the tongue correct in mouth) – to concentrate on sth. difficult: *När man bygger korthus gäller det att hålla tungan rätt i mun eller att använda lim.*

ljuga så att tungan svartnar (to lie so that the tongue blackens) – to lie boldly/a lot: *Men herregud pojk, du ljuger ju så att tungan svartnar. Det ser jag på dig.*

TUNNA

tjock som en tunna (fat like a barrel) – very fat: *Polismästaren var en gladlynt man, tjock som en tunna och med intressanta mustascher.*

tomma tunnor skramlar mest (empty barrels rattle the most) – the ones with the least to contribute are usually the loudest; empty vessels make the most noise: *När man går på föräldramöte i skolan märker man snabbt att tomma tunnor skramlar mest.*

TUPP

en tupp i halsen (a rooster in the throat) – (fig.) (coll.) voice crack: *Han skulle ropa på sin syster men fick plötsligt en tupp i halsen så hon höll på att skratta ihjäl sig.*

stolt som en tupp (proud like a rooster) – very proud: *Stolt som en tupp berättade hennes moster hur hennes systerdotter hade blivit antagen till musikhögskolan.*

vara uppe med tuppen (to be up with the rooster) – to get up early: *Tidningsbudet är alltid uppe med tuppen så att alla ska få sina* *morgontidningar.*

TUR

i tur och ordning (in turn and order) – in turn; in order: *Berätta nu i tur och ordning vad som har hänt.*

tur och retur (tour and return) – round trip: *Vi behöver fyra biljetter tur och retur till Lofoten.*

TUVA

liten tuva stjälper/välter ofta stort lass (small hassock often tips over big load) – small details are often critical for the success of a big project: *Efter att ha skickat ut uppdateringen till tusentals av mobiler visade det sig att liten tuva ofta stjälper stort lass. Det saknades ett semikolon i koden och appen kraschade.*

TVUNGEN

nödd och tvungen: nödd →

vara tvungen (to be forced) – to have to: *Han var tvungen att välja mellan ett rött eller blått piller.*

💡 This expression literally means *to be forced* but is synonymous with the helper verb *måste* (to have to). The idiom is usually used in its place in the past tense, since all forms of *måste*, except the present tense, basically have died out in contemporary Swedish.

To express being forced to do sth., Swedes use the participle *tvingad* (forced) from *tvinga* (to force) instead.

TVÅ

lägga ihop två och två (to put two and two together) – to make an educated guess; to put two and two together; to connect the dots: *Alla visste att de hade ett förhållande. Det var lätt att lägga ihop två och två.*

TRASA

joxa med trasan (to fiddle with the rag) – (reg. Stockholm) to play soccer: *Zlatan kan verkligen joxa med trasan.*

TREKVART

hänga på trekvart (to hang on three quarters) – (coll.) to not hang straight: *Efter tre drinkar dansade han på bordet och slipsen hängde på trekvart.*

TRETTON

gå tretton på dussinet: dussin →

TRISSA

dra på trissor (pull on pulleys) – (coll.) expresses surprise and/or irritation: *Dra på trissor vad smutsig du är!*

TROLL

rik som ett troll (rich like a troll) – very rich; filthy rich: *Man kunde tycka att han kunde hjälpa till lite, rik som ett troll som han är!*

💡 Trolls were believed to possess immense riches and treasures.

när man talar om trollen [så står de i farstun] (when one speaks about the trolls [they are standing in the hall]) – expresses that the subject of a conversation suddenly appears; speak of the devil: *Var är egentligen brevbäraren? När man talar om trollen! Där är han!*

TROLLSLAG

som genom ett trollslag (like stroke of magic) – suddenly: *Som genom ett trollslag så hade han plockat fram två glas vin och hennes favoritmat.*

TRUMPET

med pukor och trumpeter: puka →

TRUT

håll truten (hold the gull) – (crude) be quiet; shut up: *Men håll truten sa jag!*

TRYCK

lätta på trycket (to ease the pressure) – (coll.) to urinate: *Han valde att lätta på trycket i simbassängen.*

TRÅD

inte/utan en tråd på kroppen (not/without a thread on the body) – naked: *Han låg i en hiss utan en tråd på kroppen.*

en fnurra på tråden: fnurra →

hänga på en (skör) tråd (to hang on a (fragile) thread) – 1. to be close to failing; 2. to be in a dangerous situation that is close to escalating: *Efter händelsen i fikarummet hängde hans jobb på en skör tråd.*

TRÄ

peppar, peppar [ta i trä]: peppar →

TRÄDGÅRDSMÄSTARE

göra bocken till trädgårdsmästare: bock →

TRÖJA

skälla ner till byxor och tröja: byxa →

TVÄR

sätta sig på tvären (to put oneself across) – 1. to end up aslant; 2. (fig.) to be against; to be obstructive: *Förslaget var lysande men en person i styrelsen satte sig på tvären och lade in sitt veto.*

TYG

allt vad tygen håller (everything what the cloth holds) – as much/quickly/ with as much force as possible: *Han sprang allt vad tygen höll när han hörde sin fru ropa.*

TYGEL

ge någon fria tyglar (to give sb. free reins) – (fig.) to give sb. permission to act freely: *Grafikern fick fria tyglar att designa en logga till startupen.*

ta tyglarna (to take the reins) – (fig.) to take control; to take the reins:

Miljardären tar tyglarna i stora sociala medieplattformen.

TÅ

från topp till tå: topp →

TÅG

det går fler tåg (it departs more trains) – expresses that sb. will get more than one chance: *Var inte ledsen för att du inte fick några biljetter. Det går fler tåg.*

dummare än tåget (dumber than the train) – extremely dumb: *Hur lyckades han få jobb här? Han är ju fan dummare än tåget.*

TÅL

ge sig till tåls (to give oneself to patience) – to be patient: *Vi får ge oss till tåls några dagar innan posten kommer med paketet.*

💡 *Till* used to take the genitive case, hence *tål* receiving the possessive -s suffix.

This word isn't used outside this and a handful other expressions. The standard word for *patience* in Swedish is *tålamod.*

TÅRTA

tårta på tårta (cake on cake) – 1. redundant duplication; tautology; 2. too much of sth.: *Är det inte lite tårta på tårta att vattna trädgården när det regnar?*

TÄNKA

(jag) tänkte väl (det) (I thought, it right?) – (I) thought so; (I) figured: – *Visst var du på semester? – Ja, det var jag. Förra veckan. – Tänkte väl. Du är så himla brun.*

TÄPPA

vara (ensam) herre på täppan (to be (alone) the master of the garden) – (coll.) to be in charge: *När chefen gått i pension så är det jag som är herre på täppan här.*

TÄT

titt som/och tätt: titt →

TÖM

ta tömmarna (to take the reins) – (fig.) to take control; to take the reins: *På måndag är det jag som ska ta tömmarna på den här avdelning.*

U

UDD

ta udden av något (to take the point of sth.) – to reduce the intensity of/feeling of excitement over sth.; to take the edge off sth.: *Inbrottet på hotellrummet tog udden av hela semester.*

UDDA

låta udda vara jämnt (to let odd be even) – to ignore a minor misdemeanor; to turn a blind eye: *Parkeringsvakten lät udda vara jämnt när bilägaren hann köra bort innan någon bot hann skrivas.*

UGGLA

klok som en uggla (wise like an owl) – very wise: *Många i huset gick till tanten på tredje våningen för råd eftersom man visste att hon var klok som en uggla.*

ana ugglor i mossen (to suspect owls in the bog) – to be suspicious about sth.: *Jägarna skulle skjuta älg men älgen började ana ugglor i mossen och dök aldrig upp.*

UNDAN

gå undan (to step aside) – to move/happen rapidly: *Det går undan i Nordens äldsta bergochdalbana.*

undan för undan (away for away) – little by little: *Diktatorn byter undan för undan ut parlamentet mot ja-sägare.*

UNDERFUND

komma underfund med något (to come under found with sth.) – to understand; to realize sth.: *Efter ett tag kom barnen underfund med att man kunde äta snö.*

UPP

upp och ner (up and down) – 1. up and down; 2. upside down: *Varför håller du boken upp och ner?*

UR

i ur och skur (in rain and shower) – in all weathers; come rain or shine; (fig.) no matter the circumstances: *Meteorologen är ute i ur och skur för att rapportera om vädret i direktsändning.*

💡 *Ur* is an Old Swedish word unique to this expression in modern Swedish. It refers to fine rain or snow blowing around in the wind. Compare yrväder.

URMINNE

sedan urminnes tider (since immemorial times) – since ancient times; since time immemorial: *Sedan urminnes tider har svenskar dyrkat lakrits.*

UT

dra ut på något (to pull out on sth.) – to prolong the duration of sth.: *Egentligen ville han inte gå tillbaka till jobbet så han drog ut på frukosten så länge han kunde.*

ut och in (out and in) – inside out: *Kalle hade alltid byxorna på sig ut och in.*

UTE

vara fel ute: fel →

UTFÖR

det går utför (it is going downhill) – (fig.) it is rapidly getting worse: *Det gick utför med skolmaten. Barnen protesterade efter att ha fått äta kallt ris i två veckor.*

UTOM

vara/bli utom sig (to be/become outside oneself) – to be/become beside oneself: *Mamman blev utom sig av oro när hon hörde att hennes äldsta dotter bestämt sig att flytta till USA.*

V

VACKER

ta skeden i vacker hand: sked →

VAGEL

vara en vagel i ögat: nagel →

VAL

stå/vara i valet och kvalet (to stand/be in the choice and the anguish) – to be undecided between two options; to be of two minds: *Han stod i valet och kvalet om han skulle ringa den där tjejen han hade mött helgen innan.*

VALUTA

få valuta för pengarna: pengar →

VANTE

lägga vantarna på något (to lay the mittens on sth.) – to take/seize/to get a hold of sth.: *Jag har lagt vantarna på den nya chokladen. Vill du smaka?*

VAR

var och en (each and one) – each; each and every one: *Var och en fick en egen inträdesbiljett.*

VARG

hungrig som en varg (hungry like a wolf) – very hungry: *Efter att ha varit ute på fjället hela dagen var han hungrig som en varg.*

ropa varg (to call wolf) – (fig.) to keep asking for help when it is not needed so that one is not believed when there is a real emergency; to cry wolf: *Efter alla gånger hon ropat varg blev hon inte längre trodd. Det blev hennes olycka.*

VARJE

lite av varje (a bit of each) – a bit of everything: *Äter man smörgåsbord kan man ta lite av varje.*

VASS

ett strå vassare: strå →

VATTEN

få vatten på sin kvarn: kvarn →

gå inte över ån efter vatten: å →

kasta vatten (to throw water) – (coll.) to urinate: *Under festivalen blev eken bakom scenen en plats där man brukade kasta vatten.*

kunna något som ett rinnande vatten (to know sth. like running water) – to know sth. very well: *Barn får lära sig multiplikationstabellen som ett rinnande vatten i skolan.*

vara som att hälla/slå vatten på en gås: gås →

ta sig vatten över huvudet (to take oneself water over the head) – (fig.) to do sth./more than one can handle; to get in over one's head; to bite off more than one can chew: *Att ensam försöka skriva en ordbok över svenska uttryck är att ta sig vatten över* *huvudet.*

trampa vatten (to tread water) – 1. to tread water; 2. (fig.) to not get anywhere: *Efter att ha jobbat nio år på samma arbetsplats med samma lön började den gnagande känslan av att hon bara trampade vatten i livet.*

VETA

få veta att man lever: leva →

veta varken ut eller in (to neither know out nor in) – to be at loss to know sth.; to be at one's wits' end: *I går hade han en gnutta hopp kvar att han skulle lösa problemet men i dag vet han varken ut eller in.*

VETE

skilja agnarna från vetet: agn →

VETT

vara från vettet (to be from the sanity) – to suddenly do sth. insane: *Är du från vettet!? Du kan väl inte blanda en 7000-kronors-whisky med cola!*

VERK

skrida till verket (to glide to the work) – to begin: *De hade planerat stölden av kronjuvelerna noggrant och det var dags att skrida till verket.*

VERKSTAD

mycket snack och lite verkstad: snack →

VERS

sjunga på sista versen (to sing on the last verse) – (fig.) to be near the end; to soon break down: *Bilen som han hade haft i över 30 år sjunger nu på sista versen. Det är klart att han är ganska nerstämd.*

VID

så vitt (so wide) – as far as: *Så vitt jag vet har hon ingen hund.*

VIDA

så till vida (so to widely) – insomuch; in so far; as long as; in the sense; to this/that extent: *Här är tillträde förbjudet så till vida du inte har ett passerkort.*

VIDARE

inget vidare (nth. further) – not very good; nth. to brag about: *Den där boken du rekommenderade var inget vidare faktiskt.*

och så vidare (and so further) – and so on; et cetera: *Det är förbjudet att medföra krämer, parfymer, drycker och så vidare i handbagaget.*

VILJA

ha en vilja av stål (to have a will of steel) – to be very stubborn: *Han hade en vilja av stål att bli bäst i världen och det blev han till slut.*

det vill sig inte (it does not want itself) – it is not working: *Han försökte fånga en gädda, men det ville sig inte.*

VIND

vända kappan efter vinden: kappa →

VINK

förstå/fatta vinken (to understand the wave) – to take the hint: *Han fattade inte vinken när jag började titta ner i mobilen.*

VIPP

kola vippen (to die the lift) – (coll.) to die: *Han sprang över gatan för att hinna med tåget och höll på att kola vippen.*

💡 Kola is one of very few loans from Finnish – *kuolla* (to die).

vara på vippen (to be on the lift) – to be close to happening/to do sth.; to be a close call: *Tyskland var på vippen att göra mål i sista sekund men fick nöja sig med 1–2.*

VIRKE

vara av det rätta virket (to be of the right timber) – to be the right person for a task: *Ingen trodde att hon var av det rätta virket men hon visade dem allt.*

VIS

på sätt och vis: sätt →

VISSLA

så det visslar om det (so that it whistles about it) – intensely: *Han fick stryk så det visslade om det.*

VIT

svart på vitt: svart →

VÅT

i vått och torrt (in wet and dry) – under all circumstances; through thick and thin: *Tvillingarna höll ihop i vått och torrt.*

VÄDER

det finns inget dåligt väder, bara dåliga kläder (there is no bad weather, only bad clothing) – a saying encouraging going outside no matter the kind of weather: *Det är lätt att skylla på vädret när man inte vill gå ut men som mamma sa, det finns inget dåligt väder, bara dåliga kläder. Klär man sig ordentligt så kan det vara trevligt att gå ut ändå.*

få en syl i vädret: syl →

VÄGA

väga sina ord på guldvåg: guldvåg →

VÄGG

mellan skål och vägg: skål →

tala till en vägg (to speak to a wall) – (fig.) to speak without getting any kind of response or reaction: *När man säger åt barnen att borsta tänderna är det som att tala till en vägg.*

gå in i väggen (to walk into the wall) – (fig.) to burn out; to have a breakdown; to hit the wall: *Hon försökte plikttroget både sköta jobb och ta hand om sina vänner. Till slut blev det för mycket och hon gick in i väggen.*

vara uppåt väggarna (to be upon the walls) – to be very wrong; to be insane: *Att man har avskaffat fikat på jobbet är helt uppåt väggarna.*

VÄL

gott och väl: god →

väl bekomme: bekomma →

VÄN

i goda vänners lag (in company of good friends) – with good friends: *Han älskade att grilla i goda vänners lag.*

VÄNSTER

till höger och vänster: höger →

VÄRD

inte vara värt papperet/pappret det är skrivet på (to not be worth the paper it is written on) – to be worthless (about a written certificate of some sort): *De här betygen är inte värda pappret de är skrivna på. Det är vad man kan i praktiken som räknas.*

VÄRRE

dess värre (its worse) – unfortunately: *Dess värre är smörgåstårtan slut. Kan vi erbjuda någonting annat?*

etter värre: etter →

VÄRLD

inte av denna värld (not of this world) – enjoyable and impressive; out of this world: *Hennes räkmacka var inte av denna värld.*

all världens väg (all world's road) – far and fast: *Fotbollen flög all världens väg.*

med all världens fart (with all world's speed) – very quickly: *Ambulansen körde förbi med all världens fart.*

i all/hela världen (in the whole world) – intensifier; on earth; in the world: *Hur i hela världen har du fått tag på den där?*

YR

yr i bollen (dizzy in the ball) – (coll.) confused; disoriented: *Första dagen på semestern vaknade han och var helt yr i bollen. Han visste inte var han var!*

yr i mössan (dizzy in the hat) – (coll.) confused; disoriented: *Vad snackar du om? Du verkar ju helt yr i mössan.*

YTTERMERA

till yttermera visso (to addition certain) – (fml.) furthermore; as further evidence: *Till yttermera visso erkände han dådet i sin självbiografi.*

YXA

kasta yxan i sjön (to throw the axe in the lake) – (fig.) to give up completely: *Tyvärr så har vi beslutat att kasta yxan i sjön och försätta firman i konkurs.*

YXSKAFT

god dag, yxskaft! (good day, axe shaft!) – said when sb. answers a question with nonsense (due to not hearing or understanding the question properly): *Men god dag, yxskaft. Jag frågade vad du vill äta, inte hur du mår.*

💡 The expression comes from a tale about a man carving a wooden axe shaft. Another man greets him, wishing him a good day, but due to bad hearing the first man assumes that he is being asked what he is carving upon which he answers "axe shaft".

Å

gå inte över ån efter vatten (do not cross the river for water) – do not do things in an unecessarily complicated way: *Nu för tiden finns det mesta man behöver tillgängligt på internet och det finns ingen anledning att gå över ån efter vatten och leta på annat håll.*

ÅGREN

ha/få Ågren (to have/get Ågren) – to have/get anxiety and regrets: *Han fick Ågren när han vaknade och kom ihåg sms:et han hade skrivit kvällen innan.*

ÅNGA

hålla ångan uppe (to keep the steam up) – to keep on going until a goal has been achieved: *Visst är det jobbigt att träna till Vasaloppet, absolut, men det gäller att hålla ångan uppe!*

ÅL

hal som en ål (slippery like an eel) – (fig.) sly and unreliable: *Min farbror dyker bara upp och hjälper till när han har något att vinna på det. Han är hal som en ål.*

ÅR

på år och dag/dar (on year and day/days) – in a very long time: *Så här kul hade de inte haft på år och dar.*

Personally I have only ever heard and used *på år och dar* but both expressions exist. The idiom comes from old Swedish legal language *ar ok dagher* meaning exactly one year. *Dar* is known as the spoken form of *dagar* (plural) but I suspect that it is a contraction of *dagher* (old nominative) in this case.

se ut som sju svåra år: år →

ÅSKMOLN

se ut som ett åskmoln (to look like a thunder cloud) – to be very irritated: *Hennes make såg ut som ett åskmoln när han kom hem från jobbet. Han hade haft en dålig dag igen.*

ÅSNA

envis som en åsna (stubborn like a donkey) – very stubborn: *Han hade inte tänkt att köpa glass i dag men hans dotter var envis som en åsna och ville inte gå hem utan.*

ÄGG

lägga alla ägg i samma korg (to put all eggs in the same basket) – to focus all resources on one thing; to put all one's eggs in one basket (mainly negated): *När man lär sig investera i aktier lär man sig tidigt att inte lägga alla ägg i samma korg.*

ÄGGSKAL

gå som på äggskal (to walk like on eggshells) – (fig.) to be very careful to not trigger a conflict: *Hon gick som på äggskal runt sin surmulne man.*

ÄNDA

gå till ända (to go to end) – to come to an end: *Ännu ett decennium går till ända. Gott nytt år!*

ÄPPLE

bita i det sura äpplet (to bite in the sour apple) – (fig.) to be forced to do sth. one is unwilling to do: *Efter en vecka kunde jag inte låtsas vara sjuk längre utan jag fick bita i det sura äpplet och ta mig till jobbet.*

äpplet faller inte långt från trädet (the apple does not fall far from the tree) – said to express the similar traits between children and their parents; the apple does not fall far from the tree: *Hon blev författare precis som sin pappa. Äpplet faller ju som bekant inte långt från trädet.*

ÄRA

har den äran (have the honor) – said to wish sb. a happy birthday: *Han fick Ågren när han vaknade och kom ihåg sms:et han hade skrivit kvällen innan.*

💡 The whole expression read as follows: *Jag har den äran att gratulera* (I have the honor to congratulate). Due to its shortening, even native speakers are having trouble to decipher the idiom and often think it's in the imperative mood: *Ha den äran!*

ÄRLIG

ärligt talat (honestly spoken) – honestly; frankly: *Ärligt talat har jag ingen lust att ses i kväll.*

ÄRM

kavla upp ärmarna (to roll up one's sleeves) – 1. (fig.) to prepare to do some work; 2. to roll up one's sleeves (also fig.): *Huset byggs inte av sig självt så det är dags att kavla upp ärmarna och sätta i gång.*

ÄTA

äta som en häst: häst →

ÖGA

för blotta ögat (for the bare eye) – to be visible without aid; to the naked eye: *Kometen var synlig för blotta ögat när den passerade jorden.*

med blotta ögat (with the bare eye) – with only the eyes: *Man kunde inte se något med blotta ögat men i mikroskop bredde en hel värld ut sig.*

med glimten i ögat: glimt →

snabbt som ögat (fast as the eye) – very fast: *Snabbt som ögat var barnen framme vid tårtan och började skära sig var sin bit.*

vara nära ögat (to be close to the eye) – to be close; to be a close call: *Det var nära ögat att bilen blev påkörd.*

ha ögon i nacken (to have eyes in the neck) – to see everything: *Pappa stoppades oss när vi skulle nalla ur kakburken. Han måste ha haft ögon i nacken.*

mellan fyra ögon (between four eyes) – privately; in private: *Läraren bad att få tala med eleven mellan fyra ögon.*

få upp ögonen för något (to get one's eyes up for sth.) – to notice; to become interested: *De försöker få folk att få upp ögonen för vegansk mat som inte konkurrerar med kött.*

ha ögonen med sig (to have the eyes with oneself) – to be alert: *De som har ögonen med sig kan hitta fina kantareller på sin skogspromenad.*

ha ögonen på skaft (to have the eyes on shafts) – to be alert: *Det gäller att ha ögonen på skaft när man är ute och cyklar så att man inte blir påkörd av en bil.*

sticka i ögonen (to sting in the eyes) – to be annoying due to being too obvious: *Den nya bilen sticker i ögonen på grannarna. De undrar hur han plötsligt har råd med en sådan.*

ÖGONBRYN

höja på ögonbrynen (to raise the eyebrows) – to be surprised and disapproving; to raise an eyebrow: *Skolledningens beslut ansågs märkligt och både lärare och föräldrar höjde på ögonbrynen.*

ÖM

träffa en öm punkt: punkt →

ÖRA

en liten fågel har viskat/kvittrat [i någons öra]: fågel →

lyssna med ett halvt öra (to listen with half an ear) – to not really be listening: *Tonåringen hade bara lyssnat på läraren med ett halvt öra och kunde sedan inte svara på frågan.*

vara idel öra (to be only ear) – to be all ears: *Säg nu varför du gjorde så. Jag* *är idel öra.*

💡 *Idel* might not be the most common word in modern Swedish. To say *only*, we usually use *bara*.

lägga/sätta bakom örat (to put behind the ear) – (finl.) to memorize; to remember: *Vissa saker är viktiga att lägga bakom örat.*

ha långa öron (to have long ears) – to be curious and prone to eavesdrop: *Vi behöver inte stå här ute och diskutera saken. Grannarna har långa öron, vettu.*

tala för döva öron (to speak to deaf ears) – to speak without getting any kind of response or reaction: *Det är bara när jag föreslår någonting så känns det som att tala för döva öron.*

få det hett bakom öronen (to get it hot behind the ears) – to end up in a difficult situation: *Både polis och brandkår fick det hett bakom öronen när mordbrännaren drog fram.*

få kring öronen (to get around the eyes) – (finl.) to get a beating/scolding: *Jag gick på internatskola, där jag ständigt fick kring öronen. Men så var jag vanartig också.*

inte vara torr bakom öronen (to not be dry behind the ears) – to be childish and naive: *Det lönar sig mer att satsa på erfaren arbetskraft än de som inte är torra bakom öronen.*

ÖRE

inte för fem öre (not for five pennies) – not at all: *Han trodde inte på hans förklaring för fem öre.*

inte ha ett rött öre (to not have a red penny) – to be penniless: *När hon hade köpt korv, bröd och smör hade hon inte ett rött öre kvar.*

ÖVER

ha något till övers för någon/något (to have sth. left for sb./sth.) – 1. to have sth. left/to spare; 2. to disapprove (when negated): *Hon hade absolut ingenting till övers för bönder och annat patrask.*

💡 *Till* used to take the genitive case, hence över receiving the possessive -s suffix.

GLOSSARY

a breath of fresh air: en frisk fläkt
a bull in a china shop: en elefan i en porslinsbutik
a burnt child dreads the fire: bränt barn skyr elden
a feather in one's hat: en fjäder i hatten
a leopard never changes his spots: ränderna går aldrig ur
a piece of cake: lätt som en plätt
a thing or two: ett och annat
a tiger never changes his stripes: ränderna går aldrig ur
all hell breaks loose: ta hus i helvete
all set: klappat och klart
April fools!: april, april [din dumma sill] [jag kan lura dig vart jag vill]!
as you sow, so shall you reap: som man bäddar får man ligga
at bottom: i grund och botten
at full steam: för full maskin
at its heart: i grund och botten
at the eleventh hour: i elfte timmen
at the end of the day: när allt kommer omkring
at the top of one's lungs: i högan sky
back and forth: av och an; fram och tillbaka
beauty is pain: vill man vara fin får man lida pin
behind bars: bakom lås och bom
birds of a feather stick together: lika barn leka bäst; kaka söker maka
by all means necessary: med näbbar och klor
by the way: det var så sant [som det var sagt]
(caught) in the act: med byxorna nere; med fingrarna i kakburken; med fingrarna i syltburken
clear as day: klart som korvspad
close only counts in horsehoes and hand grenades: nära skjuter ingen hare
come rain or shine: i ur och skur
cut from the same cloth: av samma skrot och korn
do not bite the hand that feeds you: man ska inte bita den hand som föder en
do not count your chickens before they hatch: man ska inte sälja skinnet förrän björnen är skjuten
empty vessels make the most noise: tomma tunnor skramlar mest
everything under the sun: allt mellan himmel och jord
fifty-fifty: hälften hälften

fine and dandy: frid och fröjd
first come, first serve: först till kvarn [får först mala]
for God's sake: för guds skull
for sale: till salu
for show: för syns skull
from head to toe: från topp till tå
God knows: det vete fan; det vete fåglarna; det vete katten
he who fights and runs away may live to fight another day: hellre/bättre fly än illa fäkta
helter-skelter: huller om buller
here you are: var så god(a)
here you go: var så god(a); slit den med hälsan
higgledy-piggledy: huller om buller
hither and thither: hit och dit
hold your horses: sakta i backarna; lugn i stormen
hunky-dory: frid och fröjd
in a flash: i en handvändning; på ett litet kick
in a nutshell: kort och gott; i ett nötskal
in due time: i sinom tid
in flagrante: med byxorna nere; med fingrarna i kakburken; med fingrarna i syltburken
in full swing: för fullt
in one go: på ett bräde
(in) peace and quiet: (i) lugn och ro; i lugnan ro
in short: kort och gott
in the long run: i (det) långa loppet
it is all part of the game: den som ger sig in i leken får leken tåla
it is neither here nor there: det gör varken från eller till
knock on wood: peppar, peppar [ta i trä]
laughter is the best medicine: ett gott skratt förlänger livet
left and right: till höger och vänster; kors och tvärs
light as a feather: lätt som en fjäder
little by little: pö om pö
more haste, less speed: skynda långsamt
necessity knows no law: nöden har/kräver ingen lag
no pain, no gain: vill man vara fin får man lida pin
no rose without a thorn: även solen har sina fläckar
no smoke without a fire: ingen rök utan eld
not for anything in the world: inte för allt smör i Småland
not for nth.: inte för inte
not much to cheer for: inte mycket/inget att hurra för

not one iota: inte ett jota; inte det/den ringaste
of one's own accord: på eget bevåg
on one's high horse: sitta på sina höga hästar
on paper: på papperet/pappret
once and for all: en gång för alla
once bitten twice shy: bränt barn skyr elden
one beautiful day: en vacker dag
one swallow does not make a summer: en svala gör ingen sommar
people who live in glass houses should not throw stones: kasta sten i glashus
red-handed: med byxorna nere; med fingrarna i kakburken; med fingrarna i syltburken
rhyme and reason: rim och reson
shit hits the fan: ta hus i helvete
shut up: håll käften
since time immemorial: sedan urminnes tider
speak of the devil: när man talar om trollen [står de i farstun]
speech is silver, silence is golden: tala är silver, tiga är guld
spit it out: ut med språket
stand and fall by sb./sth.: bära eller brista; stå och falla med något/någon
that's the last straw: det var droppen [som fick bägaren att rinna över]
the Alpha and Omega: A och O
the apple does not fall far from the tree: äpplet faller inte långt från trädet
the cherry on top: grädde på moset; kronan på verket; pricken över i:et
the early bird gets the worm: morgonstund har guld i mund
the first pancake is always spoiled: alla är vi barn i början
the happy hunting grounds: de sälla jaktmarkerna
the icing on the cake: grädde på moset; kronan på verket; pricken över i:et
the school of hard knocks: livets hårda skola
the spirit is willing but the flesh is weak: anden är villig men köttet är svagt
the whole shebang: hela baletten; hela konkarongen; rubb och stubb
third time's a charm: tredje gången gillt
through thick and thin: i vått och torrt
time heals all wounds: tiden läker alla sår
time will tell: den som lever får se
to a man: till mans
to adorn oneself with borrowed plumes: lysa/prunka med lånta fjädrar
to address the elephant in the room: lyfta katten på bordet
to be a close call: vara på håret; vara på vippen; vara nära ögat
to be a dime a dozen: gå tretton på dussinet
to be a pot calling the kettle black: kasta sten i glashus
to be a walk in the park: vara en dans på rosor

to be all thumbs: ha tummen mitt i handen
to be at one's wits' end: veta varken ut eller in
to be between a rock and a hard place: välja mellan pest och kolera
to be born with a silver spoon in one's mouth: vara född med silversked i munnen
to be finished: hälsa hem
to be full of oneself: sitta på sina höga hästar
to be in a pickle: sitta i klistret; sitta i sjön
to be in seventh heaven: vara i sjunde himlen
to be in the same boat: sitta i samma båt
to be like manna from heaven: falla/komma som manna från himlen
to be of two minds: stå/vara i valet och kvalet
to be on everyone's lips: vara på allas läppar
to be on the tip of one's tongue: ha något på tungan
to be the head honcho: vara högsta hönset [i korgen]
to be well received: falla i god jord
to beat around the bush: gå/smyga som katten kring het gröt
to bite off more than one can chew: ta sig vatten över huvudet
to bite the dust: bita i gräset
to blow a fuse: (finl.) bränna propparna
to blow one's last chance: sätta sin sista potatis
to breed bad blood: väcka ont blod
to burn one's boats: bränna sina skepp; bränna sina broar
to burn one's bridges: bränna sina broar; bränna sina skepp
to buy a pig in a poke: köpa grisen i säcken
to call off: blåsa av
to call the shots: styra och ställa
to cast pearls before swine: kasta pärlor för/åt svin
to cherry-pick: plocka russinen ur kakan
to come to terms with sth.: finna sig i något
to come up: komma på tal
to come up short for sth.: komma till korta med något
to connect the dots: lägga ihop två och två
to cost sb. dearly: stå någon dyrt
to crack down: ta i med hårdhandskarna
to cross one's fingers: hålla tummarna
to cry wolf: ropa varg
to do the trick: göra susen
to drop/die like flies: dö som flugor
to err is human: det är mänskligt att fela
to fall short of sth.: komma till korta med något

to feel like the third wheel: känna sig som femte hjulet under vagnen
to fight with all one's might: ge järnet
to forget and forgive sth.: dra ett streck över något
to get a whim: få ett ryck
to get bang for the buck: få valuta för pengarna
to get down to action: komma till skott
to get everything served on a silver platter: glida in på en räkmacka
to get in over one's head: ta sig vatten över huvudet
to get on sb.'s nerves: gå någon på nerverna
to get the boot: få sparken
to get to the bottom of sth.: gå till botten med något
to get up on the wrong side of bed: (finl.) stiga upp med fel fot; vakna på fel sida
to get a wild hair: få ett ryck
to get wind of sth.: få nys om något
to give it one's all: ge järnet
to give way: stryka på foten
to go berserk: gå bärsärkagång
to go into the breach for sb./sth.: gå i bräschen för någon/något
to go like clockwork: gå som en dans
to go nuts: gå i taket
to go out en masse: gå man ur huse
to go to hell: dra/fara åt helvete
to go under the knife: lägga sig under kniven
to grab the bull by the horns: ta tjuren vid hornen
to have a bun in the oven: ha en bulle i ugnen
to have a hand in the game: ha ett finger med i spelet
to have a screw loose: ha en skruv lös
to have an ace up one's sleeve: ha något i bakfickan; ha ett ess i rockärmen
to have butterflies in one's stomach: ha fjärilar i magen
to have it in the bag: ha något som i en ask
to have more than one string on one's bow: ha många strängar på sin lyra
to have one's hands full: ha fullt upp; ha händerna fulla; ha häcken full; (finl.) ha sju stugor fulla
to have sb.'s back: hålla någon om ryggen
to have the last laugh: skrattar bäst som skrattar sist
to hit the ceiling: gå i taket
to keep a cool head: ha is i magen
to keep in check: hålla i schack
to kill two birds with one stone: slå två flugor i en smäll
to know sth. like the back of one's hand: känna något som sin egen ficka

to lie at anchor: ligga för ankar
to live hand to mouth: leva ur hand i mun
to make a mountain of a molehill: göra en höna av en fjäder
to make or break: bära eller brista
to make peace: gräva ner stridsyxan
to not lift a finger: inte lyfta/kröka/röra ett finger
to not see hide nor hair of sb./sth.: inte se röken av något/någon
to not see the forest for the trees: inte se skogen för alla/bara träd
to point fingers: peka finger
to poke the bear: väcka den björn som sover
to powder one's nose: pudra näsan
to pull a long face: bli lång i ansiktet
to pull oneself together: ta sig i kragen
to pull the rug from under sb.: dra/rycka undan mattan för någon
to push back against: slå bakut
to put a spoke in sb.'s wheel: sätta käppar i hjulet
to put all one's eggs in one basket: lägga alla ägg i samma korg
to put in irons: slå i järn
to put one's cards on the table: lägga korten på bordet
to put one's finger on sth: sätta fingret på något
to put one's thinking cap on: gnugga geniknölarna
to put sth. on the map: sätta något på kartan
to put the pedal to the metal: gasen i botten
to put two and two together: lägga ihop två och två
to read between the lines: läsa mellan raderna
to ride roughshod: köra över någon
to roll up one's sleeves: kavla upp ärmarna
to run amok: löpa amok; gå bärsärkargång
to scratch one's head: klia sig i huvudet
to separate the wheat from the chaff: skilja agnarna från vetet
to slip through the cracks: falla/hamna mellan stolarna
to smell a rat: ana oråd
to speak with a forked tounge: tala med kluven tunga
to stand on one's own feet: stå på egna ben
to stand or fall: bära eller brista; stå och falla
to step on it: gasen i botten
to swear like a sailor: svära som en borstbindare
to take sth. with a grain of salt: ta något med en nypa salt
to take the edge of sth.: ta udden av något
to take the hint: förstå/fatta piken; förstå/fatta vinken
to take the lead: gå i bräschen för någon/något

to take the leap: löpa linan ut
to take the reins: ta tyglarna; ta tömmarna
to the naked eye: för blotta ögat
to think outside the box: tänka utanför ramarna
to throw in the towel: kasta in handduken
to touch a sore spot: träffa en öm punkt
to turn a blind eye: se mellan fingrarna
to turn the other cheek: vända andra kinden till
to weigh anchor: lätta ankar
to win big: slå någon/något med hästlängder
to work like a charm: gå som på räls; gå som smort
upside down: upp och ner
water under the bridge: den snö som föll i fjol
when in rome [do as the Romans]: ta seden dit man kommer
when it comes down to it: när allt kommer omkring; när det kommer till kritan
when the cat is away, the mice will play: när katten är borta dansar råttorna på bordet
white as a sheet: vit som ett lakan
who knows: det vete fan; det vete fåglarna; det vete katten
willy-nilly: hipp som happ
with a bang: med buller och bång
with much fanfare: med pompa och ståt; med pukor och trumpeter
with one's hand in the cookie jar: med fingrarna i kakburken
with one's pants down: med byxorna nere
with pomp and circumstance: med pompa och ståt; med pukor och trumpeter
you are welcome: var så god(a); (fml.) håll till godo
you bet: det kan du hoppa upp och sätta dig på; det kan du skriva upp

Made in the USA
Las Vegas, NV
15 March 2024

87273448R00075